TK_B5Ek4fRf86Qr8v

NUEVAS REALIDADES NORMATIVAS Y RETOS ACTUALES DEL DERECHO DEL TRANSPORTE INTERNACIONAL POR CARRETERA

UNAI BELINTXON MARTÍN

NUEVAS REALIDADES NORMATIVAS Y RETOS ACTUALES DEL DERECHO DEL TRANSPORTE INTERNACIONAL POR CARRETERA

PRÓLOGO
ALBERTO EMPARANZA SOBEJANO

Primera edición, 2024

Incluye soporte electrónico

Editorial Aranzadi, S.A.U.
C/ Collado Mediano, 9
28231 Las Rozas (Madrid)
ISBN versión impresa: 978-84-1162-735-1
ISBN versión electrónica: 978-84-1162-736-8
DL M 4615-2024
Printed in Spain. Impreso en España
Fotocomposición: Editorial Aranzadi, S.A.U.
Impresión: Rodona Industria Gráfica, SL
Polígono Agustinos, Calle A, Nave D-11
31013 — Pamplona

A mis maestros y amigos, Juan José Álvarez Rubio y José Luis Iriarte Ángel, por su magisterio vital y profesional. Benetazko esker anitz bihotz-bihotzez!!

A la Profesora Dra. María Pilar Diago Diago por su acompañamiento, reflexiones y amistad

Haurrei eta Iratiri
A mi hijo Ibai, a mis hijas Haizea y Lorea y a mi mujer Irati, por vuestra sonrisa y tiempo en el acompañamiento y apoyo en esta elección vital y profesional

Gurasoei eta nire arrebari

Ilobei eta koinateei

Aita-amaginarrebeei

Índice General

Página

Prólogo

Constituye un honor poder presentar un libro como el que el lector tiene en sus manos, en el que se reflejan los rasgos específicos de un cuidado trabajo de investigación del ámbito jurídico. La obra profundiza en los retos actuales a los que se enfrenta la regulación internacional del transporte por carretera, siguiendo la estela de otros trabajos publicados por el autor sobre la materia, en los que ya hacía gala de sus amplios conocimientos en el ámbito de la regulación internacional del transporte por carretera. El Prof. Unai Belintxon, es muy conocido en el panorama del derecho internacional privado ya que tiene tras de sí una reconocida trayectoria científica en el campo de dicha disciplina, bajo la siempre atenta mirada de su maestro, el Prof. Juanjo Álvarez, catedrático de Derecho Internacional Privado de la UPV/EHU, lo que explica la indudable calidad del trabajo objeto de esta presentación.

El transporte internacional por carretera representa una actividad esencial en el desarrollo de la actividad económica de la Unión Europea. Su profusa regulación tiene por objeto, entre otros fines, hacer posible que su desarrollo se produzca de forma ágil, garantizando, al mismo tiempo, que quienes intervienen en su organización y realización cumplan una serie de exigencias jurídicas y económicas con el fin de que la actividad se realice en condiciones de libre competencia y seguridad máxima, cualquiera que sea el país europeo por el que transiten los vehículos destinados para la realización del transporte por carretera. En los últimos tiempos, dicha regulación europea ha incidido también en la necesidad de proteger las condiciones laborales e, incluso, personales, de los sujetos que desempeñan su actividad profesional en dicho campo. La introducción de una regulación específica para proteger los derechos humanos también en el ámbito de las empresas pretende conseguir que en este tipo de entidades no sólo se respeten dichos principios jurídicos, sino que, además, procuren su difusión y tutela. El transporte por carretera es un sector en el que se requiere especialmente proteger los derechos de los conductores y operadores cuando soportan condiciones poco dignas en el desempeño de su actividad. Por eso es tan importante analizar estos aspectos en su normativa reguladora.

Todo este tipo de cuestiones son las que se abordan en este libro, desde un enfoque de derecho internacional privado. En este sentido, tras una breve introducción, se examina la situación actual de los derechos humanos y del derecho sociolaboral en el transporte por carretera, tratando de imbricar en el análisis del régimen laboral de los conductores y transportistas la aplicación de los derechos humanos a dicho ámbito. Seguidamente, la obra analiza el régimen aplicable en materia de jurisdicción y arbitraje en el derecho europeo del transporte por carretera, para lo cual afronta el estudio del art. 33 CMR y la peculiaridad que presenta el derecho español al contar con las Juntas Arbitrales de Transporte, organismos administrativos en los que se resuelven de manera forzosa las controversias en materia de transporte por carretera que no resulten superiores a 15.000 €. En tercer lugar, se analiza el Reglamento 2020/1055 de 15 de julio y su posible proyección sobre los transportes de cabotaje por carretera en la Unión Europea y entre los países de la Unión Europea y el Reino Unido. La obra finaliza con el estudio de la aplicación de la acción directa, instrumento atribuido a los transportistas efectivos para cobrar el importe no percibido de sus portes mediante su reclamación al cargador inicial, a los transportes internacionales de mercancías de carretera, cuando dicho mecanismo no está previsto en el CMR ni en ninguna normativa internacional. Esta última parte resulta altamente interesante porque tercia en la polémica acerca de la aplicabilidad de la acción directa a los transportes por carretera internacionales inclinándose argumentadamente a favor de su vigencia también en este tipo de transportes.

En definitiva, la monografía objeto de esta breve presentación proporciona una visión amplia de la normativa actual del derecho del transporte internacional por carretera. En su redacción, están presentes los rasgos inequívocos de la forma de ser y de hacer de su autor. El Prof. Unai Belintxon es un acreditado investigador del derecho internacional privado, como lo reflejan sus valiosas publicaciones en materias relacionadas con esta disciplina y, especialmente, con el derecho del transporte, del que este libro constituye un magnífico exponente. En todos sus trabajos aborda los temas desde una adecuada perspectiva y lo hace con detenimiento y profundidad. En esta ocasión, ha llevado a cabo un estudio de la normativa reguladora del transporte internacional de mercancías, poniendo el foco en diferentes aspectos de esta materia con el fin de lograr una visión global del régimen jurídico aplicable en este concreto sector de actividad. Su monografía, además, ha tenido presente la bibliografía más representativa, consiguiendo un resultado muy satisfactorio, llamado a constituir una referencia doctrinal incuestionable para quienes pretendan ahondar en el análisis de este tipo de cuestiones.

La obra, en suma, constituye una prueba más de la intensa labor científica del Prof. Belintxon, Profesor Titular de Derecho Internacional Privado de la Universidad Pública de Navarra (UPNA), a quien tuve la ocasión de conocer, como miembro del Tribunal evaluador, en la defensa de su tesis doctoral, celebrada hace ya algunos años y con el que, desde entonces, he tenido la suerte de poder seguir colaborando en iniciativas académicas de interés común. Su total dedicación universitaria y su trabajo incansable auguran nuevos trabajos de investigación de calidad, como el que ahora tengo la oportunidad de presentar y una carrera académica exitosa de la que se va a beneficiar no solamente su Universidad y, por ende, su alumnado, sino toda la comunidad científica gracias a los resultados de sus interesantes investigaciones como la que ahora tenemos la oportunidad de presentar.

Alberto Emparanza Sobejano

Catedrático de Derecho Mercantil (UPV/EHU)

En Donostia-San Sebastián a 1 de febrero de 2024

Abreviaturas

ADI	Anuario de Derecho Internacional
ADM	Anuario de Derecho Marítimo
AEDIPr	Anuario Español de Derecho Internacional Privado
AFDI	Annuaire Français de Droit International
AJIL	American Journal of International Law
AP	Audiencia Provincial
BYBIL	British Yearbook of International Law
BOE	Boletín Oficial del Estado
Bitácora Millenium DIPr	Bitácora Millennium DIPr Derecho Internacional Privado
CCI	Cámara de Comercio Internacional
CE	Constitución Española
CEE	Comunidad Europea
CMLR	Common Market Law Review
CMR	Convention on the Contract for the International Carriage of Goods by Road
CNUDMI	Comisión de las Naciones Unidas para el Derecho Mercantil Internacional
Cuad.Der.Jud	Cuadernos de Derecho Judicial
Cuad.Der.Trans	Cuadernos de Derecho Transnacional
Cuad.Eur.Deusto	Cuadernos Europeos de Deusto
Dir.Com.Int	Diritto del Commercio Internazionale
Dir.dei trans	Diritto dei Transporti
DOUE	Diario oficial de la Unión Europea
Europ.trans.law	European Transport Law
Ford.law.rew	Fordham Law Review
Harv.law.rew	Harvard Law Review
IRU	Unión Internacional de Transporte por carretera
ISDC	Instituto Suizo de Derecho Comparado
Juris.Clas.dr.int	Juris Classeur de Droit International

La Ley	Revista Jurídica Española La Ley
La Ley UE	Revista La Ley Unión Europea
La Ley. Medicación y Arbitraje	Revista La Ley. Mediación y Arbitraje
LCTTM	Ley Contrato Transporte Terrestre de Mercancías
LEC	Ley de Enjuiciamiento Civil
LECrim	Ley de Enjuiciamiento Criminal
LJCA	Ley Jurisdicción Contencioso Administrativa
Lloyd´s Rep	Lloyd´s Law Reports
LOPJ	Ley Orgánica del Poder Judicial
LOTT	Ley de Ordenación de los Transportes Terrestres
Not.UE	Noticias Unión Europea
ONU	Organización de las Naciones Unidas
ORD.FOM	Orden Fomento
R.des C.	Recueil des Cours de l`Acadèmie de Droit International de la Haye
RAP	Revista de Administración Pública
RBI bis	Reglamento 1215/2012
RCEA	Revista de la Corte Española de Arbitraje
RDCB	Revue de Droit Comercial Belge
RDCE	Revista de Derecho Comunitario Europeo
RDM	Revista de Derecho Mercantil
RDN	Revista Derecho de los Negocios
RDT	Revista de Derecho del Transporte
REDI	Revista Española de Derecho Internacional
REEI	Revista Electrónica de Estudios Internacionales
RES	Revista Española de Seguros
Rev.cr.dr.int.pr.	Revue Critique de Droit International Privé
Rev.arb	Revue de L´Arbitrage
Rev.Belg.dr.int.	Revue Belge du Droit International
Rev.gen.dr.int.pub.	Revue Générale de Droit International Public
RGD	Revista General de Derecho
RGLJ	Revista General de Legislación y Jurisprudencia
RIE	Revista de Instituciones Europeas
Riv.dir.int.	Rivista di Diritto Internazionale
RVAP	Revista Vasca de Administración Pública
TC	Tribunal Constitucional

TCE	Tratado Constitutivo de las Comunidades Europeas
TJCE	Tribunal de Justicia de las Comunidades Europeas
TJUE	Tribunal de Justicia de la Unión Europea
TS	Tribunal Supremo
TSJ	Tribunal Superior de Justicia
UE	Unión Europea
ULR	Uniform Law Review
UNCTAD	Conferencia de las Naciones Unidas para el Comercio y el Desarrollo
UNECE	United Nations Economic Commission for Europe
UNIDROIT	International Institute for the Unification of Private Law

Capítulo 1

El Derecho del transporte internacional

SUMARIO: 1. EL DERECHO DEL TRANSPORTE INTERNACIONAL: PROBLEMA CONCEPTUAL Y AUTONOMÍA CIENTÍFICA Y NORMATIVA. 2. LA CONCEPCIÓN ESPECIALIZADA DE CARÁCTER FENOMENOLÓGICO DEL DERECHO INTERNACIONAL PRIVADO.

1. EL DERECHO DEL TRANSPORTE INTERNACIONAL: PROBLEMA CONCEPTUAL Y AUTONOMÍA CIENTÍFICA Y NORMATIVA

Las reflexiones jurídico-académicas que integran el presente estudio tienen por objeto o finalidad prorrogar una línea de investigación iniciada con la materialización de mi tesis doctoral, con el título Derecho europeo, normativa convencional imperativa y autorregulación en el contrato de transporte internacional de mercancías por carretera, bajo la dirección del Prof. Dr. D. Juan José Álvarez Rubio[1], y continuada, en el sector de personas pasajeras con el estudio de la legislación transfronteriza aplicable a tal modalidad[2].

Los maestros, el Prof. Dr. D. Juan José Álvarez Rubio y el Prof. Dr. D. José Luis Iriarte Ángel me han animado a seguir potenciando mediante su aliento constante esta especializada línea investigadora. Por lo que el objetivo esencial de la presente disertación es reflexionar sobre algunos problemas de Derecho internacional privado, todos ellos aspectos troncales de nuestra disciplina, que afloran en su proyección sobre determinados ámbi-

1. Tesis Doctoral que con las preceptivas modificaciones dio lugar a la publicación de la monografía *Derecho europeo y transporte internacional por carretera,* Cizur Menor, Aranzadi-Thomson Reuters, 2015.
2. Belintxon Martín, U., *La necesaria adecuación de la legislación vasca del transporte a la dimensión transfronteriza,* Cizur Menor, Aranzadi-Thomson Reuters, 2018.

tos adscritos al Derecho del transporte internacional terrestre por carretera, en cuanto ámbito material de estudio que despierta y merece una progresiva atención de la doctrina internacionalprivatista. La meta científica fijada por el presente estudio responde a la necesidad de proceder a una actualización y revisión de las disquisiciones y planteamientos anteriormente abordados, expuestos y defendidos por el autor, junto a la imperiosa necesidad de subrayar la importancia de determinados cambios normativos y/o legislativos, la promulgación de recientes pronunciamientos jurisprudenciales y la continua evolución de un mundo extremadamente cambiante geopolítica, geográfica y culturalmente que requiere de una constante readecuación jurídica.

Los criterios de selección y metodología seguidos pretenden atender a aquellos temas de especial interés desde nuestra particular perspectiva de análisis, al permitir aproximarse a elementos clave de nuestra disciplina. La humilde pretensión de consolidar la mencionada línea de investigación se ve complementada por el deseo de ofrecer a la persona estudiosa del Derecho del transporte internacional terrestre por carretera todo un elenco de sugerencias temáticas sobre las que poder formular una reflexión más extensa y profunda, incluso reformular y contraargumentar sobre los posicionamientos defendidos. Sin duda, la pauta metodológica por excelencia utilizada a lo largo de esta propuesta teórico-práctica reflexiva formulada viene sustentada sobre la jurisprudencia y demás posicionamientos de los órganos jurisdiccionales y sobre las diversas orientaciones doctrinales existentes a nivel comparado.

En este siglo XXI de la especialización se ha debatido ampliamente sobre la adscripción de la disciplina del Derecho del transporte internacional a diferentes disciplinas o ámbitos jurídicos especializados, por ello, y dada su especial y patente configuración, es necesaria en esta primera parte de la disertación reclamar expresamente la adscripción del Derecho del transporte internacional a la disciplina del Derecho internacional privado[3]. Si esto no fuera posible, otra de las alternativas o posibilidades sería permitir la configuración del Derecho del transporte como disciplina autónoma o independiente a las restantes disciplinas o ámbitos jurídicos. Los profesores y maestros Álvarez Rubio e Iriarte Ángel llevan varios lustros advirtiendo de que esta singular materia bien pudiera ser una rama científica propia dentro del ámbito jurídico puesto que abarca un universo de cuestiones de carácter material y/o conflictual que avalarían la adopción de tal medida[4].

3. En este sentido véase, Álvarez Rubio, J. J., «Las reglas de especificidad como cauce para superar los conflictos normativos entre Derecho comunitario y los Convenios internacionales en materias especiales», *La Ley*, 29 de octubre de 2010, pp. 1-6.

4. Iriarte Ángel, J. L., «Transporte marítimo internacional de mercancías y terceros Estados», *RGLJ*, núm. 1, 1989, pp. 7-28.

Dicho esto, y centrándonos ya en el concreto tema objeto de estudio, es necesario recordar que el sector del transporte por carretera constituye sin duda alguna el eje vertebrador del desarrollo económico de la Unión Europea y permite materializar la cohesión social de la misma. Es evidente que un óptimo sistema de transporte permite vertebrar un país, o una sociedad de naciones como es la UE, y su funcionamiento, potenciando con ello la movilidad de empresas, mercancías y personas para garantizar así el modelo productivo, la ampliación de mercados y la consolidación de las estructuras territoriales[5].

Las redes de transporte son el elemento nuclear que permite garantizar la unidad de mercado y la eficacia, nuestra red transeuropea es un nítido ejemplo de ello. Además, debe tenerse en cuenta que la importancia económica del sistema europeo de transporte se multiplica en un contexto económico y comercial caracterizado por economías especializadas[6], independientes y competitivas que demandan de un sistema comercial internacional *intra* y/o *extraeuropeo que* se asiente sobre un sistema de transporte de óptimas características[7].

Todo ello sin obviar que la problemática que aflora en la ejecución de servicios de transporte de mercancías y viajeros por carretera tiene gran razón de ser en la constante y también continua interacción de los diversos bloques normativos en presencia (regional, europeo, internacional y estatal)[8].

Desde luego, es evidente que la multiplicidad de acercamientos que el Derecho del transporte permite en lo referido a las materias de estudio[9], pues el Derecho del transporte es por su propia naturaleza como advertimos una disciplina que tiene entidad propia y que podría considerarse autónoma respecto del resto de áreas del Derecho, exige cierta labor de delimitación previa que nos permita resaltar la perspectiva *iusprivatista* de nuestra

5. Belintxon Martín, U., «El comercio y tránsito de armas en la UE. Una reflexión desde el Derecho internacional», en Álvarez Rubio, J. J., Iriarte Ángel, J. L. y Belintxon Martín, U. (Dirs.), *Representación aduanera y comercio internacional en el siglo XXI*, Cizur Menor, Civitas, 2022, pp. 167-193.

6. Fernández Rozas, J. C., *Sistema de Derecho económico internacional*, Cizur Menor, Thomson Civitas, 2010, pp. 55 y ss.

7. Belintxon Martín, U., *La necesaria adecuación de la legislación vasca del transporte a la dimensión transfronteriza*, *op. cit.*, nota 2, pp. 25-34.

8. Belintxon Martín, U., «La confluencia de los distintos bloques normativos aplicables en materia de transporte internacional por carretera: divergencias y efecto distorsionador», en Petit Lavall, M. V., Martínez Sanz, F. y Recalde Castells, A., (Dirs.), *La nueva ordenación del mercado de transporte*, Madrid, Marcial Pons, 2013, pp. 15-20.

9. A este respecto véase a Legros, C., «Contrat de transport international par route de marchandises et de voyageurs», *Juris régles.Clas.dr.int*, fasc. 571-66, 25 abril 2012, pp. 13 y ss.

disciplina, lógicamente sin obviar otras a las que imperativamente habrá que acercarse con la inequívoca finalidad de ofrecer una respuesta reflexiva conforme a las particularidades propias de una disciplina que se caracteriza por una más que atractiva especialización por sectores[10].

El desarrollo del Derecho del transporte nacional e internacional de mercancías y viajeros por carretera queda hoy condicionado por el Derecho europeo del transporte y por unas instituciones europeas que muestran un deseo creciente por regular y normativizar esta nuclear actividad comercial. No obstante, si bien es cierto que en una primera fase el legislador y la legisladora europea se ha centrado en la armonización conflictual[11], no es menos cierto que existe un claro deseo de avanzar hacia una futura armonización material. Esto nos lleva evidentemente hacia una reformulación del reparto competencial entre los Estados miembros y la UE para el sector del transporte[12]. Recuerden que según el artículo 4.2.g del TFUE todavía hoy ésta es una materia compartida. Y desde luego, no cabe olvidar que algunos Estados de la UE presentan una diversidad[13] de sistemas legislativos territoriales propios[14] que requieren además una especial atención como es el caso español[15].

Es evidente que el sector del transporte por carretera no se encuentra liberalizado plenamente en la UE. Fiel reflejo de lo expuesto puede encontrarse en la imperante calificación anacrónica sobre la diferente tipología de

10. Sobre la especialización del Derecho privado en el ámbito internacional y europea, puede verse a González Campos, J. D., «Diversification, Specialisation, Flexibilisation et Materialisation de régles de Droit International Privé», *R. des C*, t. 287, 2002, pp. 156 y ss.
11. Véase, Álvarez Rubio, J. J., «Derecho privado y la UE: ¿armonización material o conflictual?», en Goizueta Vértiz, J. y Cinfuegos Mateo, M. (Coord.), *La eficacia de los derechos fundamentales de la UE: cuestiones avanzadas*, Cizur Menor, Thomson Reuters Aranzadi, 2014, pp. 291-310.
12. Fernández Rozas, J. C., «El Espacio de libertad, seguridad y justicia consolidado por la Constitución Europea», *La Ley*, D-195, 2004, p. 16.
13. Sobre dicha realidad jurídica y la diversidad de sistemas legislativos territoriales coexistente en algunos Estados de la UE, entre otros autores, véase: Iriarte Ángel, J. L., «Propiedad y Derecho internacional», *Los conflictos internos en el sistema español*, Fundación registral (Colegio de registradores de la propiedad y mercantiles de España), 2007, pp. 133-163; Álvarez Rubio, J. J., *Las normas de derecho interregional de la ley 3/1992 de 1 de julio, de derecho civil foral del país vasco*, Oñati, Instituto Vasco de Administración Pública, 1995.
14. En este sentido, Álvarez Rubio, J. J., «La incidencia del Tratado de Ámsterdam en el sistema español de Derecho interregional», *Anales de la Facultad de Derecho*, 18, noviembre de 2001, pp. 65-78.
15. Sobre la armonización del Derecho privado en la Unión Europea, entre otros, Iriarte Ángel, J. L., «La armonización de Derecho internacional privado por la Unión Europea», *Jado: boletín de la Academia Vasca del Derecho*, núm. 9, 2006. pp. 47-73.

servicios de transportes ejecutables en territorio europeo común (transportes internacionales, transportes de cabotaje y transportes de carácter nacional)[16] y la distinta interpretación de las normas europeas de aplicación de acceso al mercado de transporte, los tiempos de trabajo, conducción y descanso, las evidentes diferencias socio-laborales y de salario mínimo interprofesional en la UE y las normas sobre desplazamiento de trabajadores transfronterizos del sector. Todo este elenco de cuestiones produce un permanente estado de inseguridad e inestabilidad jurídica que lastima el normal desempeño de esta significativa actividad comercial y que parece deslegitima en parte nuestro común proyecto.

En efecto, parece que el proceso o fenómeno uniformizador calificado como europeización del Derecho privado[17] con punto de partida en el Tratado de Ámsterdam[18], y que pareció consolidarse y reforzarse con la entrada en vigor del Tratado de Lisboa[19], no se encuentra en su momento más álgido tras el BREXIT articulado por Reino Unido, y todo ello, a pesar de las muestras de cierta capacidad de respuesta ante algunos desafíos existenciales y globales como el Covid-19, el conflicto armado en Ucrania, o el conflicto armado en Gaza, y esto incide significativamente en la seguridad jurídica y en la previsibilidad de resultado provocando distorsiones a los diferentes agentes y operadores.

Téngase en cuenta que dentro del análisis de los efectos del Brexit sobre el negocio del transporte de mercancías por carretera debe subrayarse de manera particular su incidencia especialmente relevante sobre dos dimensiones de la prestación de servicios: el sector de la triple calificación de los transportes efectuables en el seno de la UE (nacional, internacional y de cabotaje) y el de la resolución de controversias a través de la jurisdicción ordinaria y el arbitraje de transporte.

La cambiante realidad internacional actual requiere del fortalecimiento de las bases de un proyecto común europeo integrador que se inició con el

---

16. Belintxon Martín, U., «La calificación del transporte de cabotaje como transporte internacional en el Derecho del transporte por carretera: el elemento de internacionalidad», *RDT: Revista de Derecho del Transporte,* núm. 16, 2015. pp. 142-164.
17. Fernández Rozas, J. C., «La comunitarización del Derecho internacional privado y Derecho aplicable a las obligaciones contractuales», *RES,* núm. 140, 2009, pp. 600 y ss.
18. Véase, Borras Rodríguez, A., «La Comunitarización del Derecho Internacional Privado: pasado, presente y futuro», Cursos de Derecho Internacional de Vitoria Gasteiz (2001), Vitoria-Gasteiz, Servicio de Publicaciones de la Universidad del País Vasco, 2002, pp. 285-318.
19. Calvo Caravaca, A. L., «El Derecho internacional privado de la Comunidad Europea», *Anales de Derecho,* Universidad de Murcia, núm. 21, 2003, pp. 49-69.

Tratado de Roma 1957[20], hace ya más de 64 años, y que a pesar de ciertos momentos sombríos ante los que se ha advertido incapaz de contener las grandes reticencias de determinados Estados miembros a traspasar una mayor cota de competencias a las instituciones de la UE en sectores clave que, como el transporte, necesitan de amplios consensos y acuerdos, sigue siendo la prescripción necesaria para la consolidación de nuestro sistema y nuestros valores.

La Unión Europea marcó mediante el Libro Blanco del Transporte de 2011 el objetivo de diseñar un espacio del transporte por carretera europeo dónde primasen la competencia leal y la libre materialización de servicios de transporte en toda la Unión Europea con el nítido propósito de garantizar y salvaguardar una política común de transportes efectiva[21] y el adecuado funcionamiento del mercado interior[22]. Y, sin embargo, el Reglamento (UE) 2020/1055 del Parlamento Europeo y del Consejo de 15 de julio de 2020 incorporado en el reciente paquete de movilidad de 31 de julio de 2020[23], que es aplicable desde el 21 de febrero de 2022, se desmarca, por lo que concretaremos, de tal objetivo o finalidad, desincentivando la libre prestación de servicios de transporte y la libre circulación en el mercado interior, lo que en esencia proyecta un potencial fracaso de la política común de transportes diseñada.

Un nuevo paquete de transporte y movilidad compuesto además de por el referido Reglamento, por la Directiva (UE) 2020/1057 del Parlamento Europeo y del Consejo por la que se fijan normas específicas con respecto a la Directiva 96/71/CE y la Directiva 2014/67/UE para el desplazamiento de los conductores en el sector del transporte por carretera, y por la que se modifican la Directiva 2006/22/CE en lo que respecta a los requisitos de control del cumplimiento y el Reglamento (UE) n.º 1 024/2012[24], por el Reglamento (UE) 2020/1054 del Parlamento Europeo y del Consejo de 15 de julio de 2020 por el que se modifica el Reglamento (CE) n.º 561/2006 en lo

20. Sobre este particular puede verse a Fernández Rozas, J. C., «El 60 aniversario de los Tratados de Roma: algo más que una simple celebración», *La Ley: Unión Europea,* 46, 2017, pp. 1-8.
21. En este sentido puede verse a Guzmán Gómez, M. A., «La aplicación en España de la política común de transportes», *DA*, núm. 201, 1984, pp. 675-706.
22. Cascales Moreno, F. J., «El Libro Blanco de transporte: La política europea de los transportes en el horizonte del año 2010: La hora de la elección», *Noticias de la Unión Europea,* núm. 213 (2002), pp. 69-70.
23. Reglamento (UE) 2020/1055 del Parlamento Europeo y del Consejo de 15 de julio de 2020 por el que se modifican los Reglamentos (CE) n.º 1071/2009, (CE) n.º 1072/2009 y (UE) n.º 1024/2012 con el fin de adaptarlos a la evolución del sector del transporte por carretera. DOUE L 249/17 de 31.7.2020.
24. DOUE L 249/49 de 31.7.2020.

que respecta a los requisitos mínimos sobre tiempos de conducción máximos diarios y semanales, las pausas mínimas y los períodos de descanso diarios y semanales y el Reglamento (UE) n.º 165/2014 en lo que respecta al posicionamiento mediante tacógrafos[25], y por el Reglamento (UE) 2020/1056 del Parlamento Europeo y del Consejo de 15 de julio de 2020 sobre información electrónica relativa al transporte de mercancías[26].

Como advertimos, la combinación de una política común de transportes efectiva y un sector del transporte vanguardista, deben sin atisbo de duda instituir la piedra angular de un desarrollo económico y social que garantice la libre movilidad y la libre circulación de personas y mercancías en la sociedad de naciones que representa la Unión Europea[27]. La importancia económica del sistema europeo del transporte[28] se multiplica en un contexto económico, comercial y social (inmerso en una pandemia mundial sin precedentes, en una guerra en el continente europeo y en una guerra en oriente medio) gobernado por economías especializadas[29], competitivas e independientes que necesitan de un sistema comercial internacional global y seguro asentado sobre un sistema de transporte vertebrador y efectivo[30].

Queda patente pues que el desarrollo del Derecho del transporte europeo e internacional está, como reseñamos, condicionado por el Derecho de la UE y por unas instituciones comunes que adquieren cada día mayores competencias legislativas, ejecutivas y judiciales sobre esta actividad comercial de carácter esencial[31]. No obstante, venimos denunciando de forma sistemática que la consolidación de una política de transportes común, eficiente y efectiva se está viendo postergada por las actitudes y muestras de rechazo que airean abiertamente algunos países centrales de la propia Unión, como Francia y Alemania[32], a los que en los últimos tiem-

25. DOUE L 249/1 de 31.7.2020.
26. DOUE L 249/33 de 31.7.2020.
27. Sobre esta cuestión en particular véase Belintxon Martín, U., «La obligada adecuación de la LOTT y el ROTT al Derecho europeo en materia de acceso a la profesión de porteador/transportista», *La Ley Unión Europea*, 2018, núm. 58, pp. 1-19.
28. Piñales Leal, F. J., *Régimen Jurídico del transporte por carretera*, Madrid, Marcial Pons, 1993, pp. 32-43.
29. Véase González Campos, J. D., «Diversification, Spécialisation, Flexibilisation et Materialisation des régles de Droit International Privé», *op. cit.*, nota 10, pp. 156 y ss.
30. En este sentido, Álvarez Rubio, J. J., *Las Lecciones Jurídicas del Caso Prestige: Prevención, Gestión y Sanción frente a la contaminación marina por hidrocarburos*, Pamplona, Aranzadi, 2011, pp. 13-32.
31. Puede verse a Iriarte Ángel, J. L., *El contrato de embarque internacional*, Madrid, Beramar S.L., 1993, pp. 100 y ss.
32. Belintxon Martín, U., «Dumping Social, desarmonización socio-laboral y Derecho internacional privado: la des-Unión Europea», *AEDIPr.*, t. XVI, 2016, pp. 611-642.

pos se han unido otros países como España, Países Bajos o Italia, y que por lo que refleja el citado Reglamento (UE) 2020/1055 y la citada Directiva (UE) 2020/1057, han condicionado el rumbo que tiene que marcar este paquete de movilidad de julio del año 2020 para el sector del transporte en todos sus ámbitos los próximos lustros o decenio.

El posicionamiento del TJCE en su sentencia de 22 de mayo del año 1985[33] dejó nítidamente identificado y delimitado que el estancamiento de una política común de transportes europea trae su razón de ser en los distintos, nucleares y contrapuestos intereses nacionales en conflicto[34]. Dicho esto, anticipamos ya que de lo normativizado en este reciente paquete de movilidad y transporte se puede concluir que no hemos aprendido demasiado del criterio hermenéutico esgrimido por el referido posicionamiento jurisprudencial de nuestro máximo órgano jurisdiccional. En efecto, nos empeñamos en acrecentar las diferencias, las desigualdades, mediante normas teóricamente armonizadoras[35] que única y exclusivamente potencian las barreras de entrada a los mercados nacionales de los propios Estados miembro de la UE en el mercado interior y constriñen, dificultan, la consolidación de los tan necesarios Estados Unidos de Europa o de la Unión Europea[36].

La constatación más lacerante de esta reflexión esgrimida es, como adelantamos, la calificación anacrónica de la tipología de transportes distintos ejecutables en territorio europeo común (cabotaje, nacionales e internacionales) que se sigue artificialmente manteniendo e incluso potenciando en el actual paquete normativo con mayores restricciones de acceso al Estado de acogida[37]. Volvemos a reseñar que no se ha acabado de materializar el

33. STJCE de 22 de mayo de 1985, Asunto 13/83, Comisión de las Comunidades Europeas vs Consejo de las Comunidades Europeas. https://eur-lex.europa.eu. Sentencia de conflicto derivado entre el Parlamento Europeo, apoyado por la Comisión de las Comunidades Europeas, contra el Consejo de las Comunidades Europeas, apoyado por el Reino de los Países Bajos y que tuvo por objeto un recurso interpuesto con arreglo al artículo 175 del Tratado CEE con el fin de que se declarase la omisión del Consejo en materia de política común de transportes.

34. En este sentido referente a la sentencia del Tribunal de Justicia, Arpio Santa Cruz, M., «El Parlamento frente al Consejo: la sentencia del Tribunal de Justicia en materia de transportes», *RIE*, núm. 12, 1985, pp. 789-804.

35. Véase entre otros a Bon Garcín, I., Bernadet, M. y Reinhard, Y., *Droit des transports*, París, Dalloz, 2010, pp. 2 y ss.

36. Fernández Rozas, J. C., *Sistema de Derecho económico internacional, op. cit.*, nota 6, pp. 55 y ss.

37. Sobre esta cuestión en particular, Belintxon Martín, U., *Derecho europeo y transporte internacional por carretera, op. cit.*, nota 1, pp. 269-273.

proceso de liberalización[38] del sector del transporte por carretera en la UE y, además de ser una aberración jurídica en el siglo XXI, corremos el riesgo de retornar a un concepto de delimitación de las fronteras anquilosado en una concepción del siglo XIX que nada aporta hoy día al fortalecimiento de las bases de un proyecto europeo común e ilusionante[39], que se activó con el citado Tratado de Roma de 1957 hace ya más de seis decenios y que necesita ahora de su materialización definitiva tal y como entre otras cuestiones, nos ha demostrado la vigente guerra con incidencia global que se está desarrollando en nuestro viejo y amado continente europeo[40].

En efecto, la receta es nítida, el primer objetivo que tiene que perseguirse por las instituciones europeas es fortalecer la política común de transportes de la Unión Europea con normas jurídicamente seguras que aminoren las distorsiones provocadas por una lectura interpretativa restrictiva[41], o contraria, al carácter armonizador de las normas de la Unión Europea[42], sin deslegitimar las particularidades de un proyecto común en el que convivan los 27 y sin que se cronifique la flaqueza que proyecta una Unión Europea a dos velocidades[43]. Este reciente paquete de movilidad y transporte fosiliza un conflicto que debía de estar superado en los albores del año 2024 entre dos bloques de países perteneciendo al primero de los bandos Alemania, Francia, España, Países Bajos e Italia y al segundo de estos bandos los países del Este de la Unión, en especial Bulgaria, Rumanía, Hungría, Lituania, Polonia, Chipre, Letonia, Estonia y Malta en los que el volumen de negocio de sus flotas de vehículos pesados para el transporte por carretera representa un porcentaje esencial de empleo y de PIB nacional en sus realidades internas.

Las negociaciones anteriores a la publicación de la Directiva 2006/123/CE del Parlamento Europeo y del Consejo de 12 de diciembre de 2006 referente al mercado interior (Directiva Bolkenstein) fueron un nítido

38. Véase a Caballero Sánchez, R., «La liberalización del transporte terrestre: el largo camino hacia un mercado de servicios», en Menéndez, P. (Dir.), *Régimen Jurídico del Transporte Terrestre: Carreteras y Ferrocarril*, Tomo I, Cizur Menor, Aranzadi, 2014, pp. 397-488.
39. En este sentido, entre otros, Belintxon Martín, U., «Derechos humanos y responsabilidad social corporativa en las empresas de transporte: Un apunte de Derecho europeo», *Cuadernos Europeos de Deusto*, núm. 63, 2020, pp. 269-294.
40. Fernández Rozas, J. C., «El 60 aniversario de los Tratados de Roma: algo más que una simple celebración», *op. cit.*, nota 20, pp. 1-8.
41. Guzmán Gómez, M. A., «La aplicación en España de la política común de transportes», *op. cit.*, nota 21, pp. 675-706.
42. Munari, F., *Il Diritto Comunitario dei Trasportti,* Milán, Guiffrè, 1996, pp. 50-117.
43. Véase, Álvarez Rubio, J. J., «Derecho privado y la UE: ¿armonización material o conflictual?», *op. cit.*, nota 11, pp. 291-310.

reflejo de la diversidad de intereses que afloran entre los distintos Estados miembros de la UE en materias tales como la libre prestación de servicios de transporte y la libre circulación en el mercado interior[44]. El borrador de norma originariamente planteado, notablemente distinto del texto normativo que acabó entrando en vigor, tenía una clara finalidad cual era potenciar una mayor conexión y afinidad entre los distintos países y pueblos de Europa y lograr con ello un mayor progreso económico, social y cultural.

Un borrador original que contemplaba un mercado interior abierto, sin espacios fronterizos, que garantizase y amparase la libertad de establecimiento y la libre circulación de servicios, tras diluir las barreras y obstáculos que limitaban o restringían la libre prestación de servicios entre Estados miembros como medio para alcanzar la plena integración de los pueblos europeos y permitir una prosperidad económica, social y cultural progresiva, igualitaria y sostenible, junto a un incremento exponencial de la competitividad, calidad de vida, y solidaridad entre los pueblos y Estados miembros. Meta que no se ha alcanzado por el momento.

Dicho intento pretendió de forma expresa potenciar la competitividad del mercado de servicios eliminando todos y cada uno de los obstáculos que en el mercado europeo imposibilitaban a los transportistas, particularmente a los pequeños y medianos porteadores, ampliar sus operaciones más allá de las fronteras de sus respectivos Estados miembros potenciando el comercio transfronterizo e internacional.

Como advertimos, el resultado final varió sustancialmente de un texto que en origen no excluía los transportes en general, ni a los servicios de transporte internacional rodado por carretera intraeuropeos, mermando así la efectiva liberalización de un sector del transporte vilipendiado tradicionalmente por las instituciones europeas y los Estados miembros de la UE a pesar de ser uno de los motores de la economía europea[45].

Recuérdese que únicamente el sector del transporte de mercancías por carretera realiza el 73% de los transportes de mercancías en el interior de la UE y representa el 2% del PIB[46]. Expuesto esto, debemos subrayar que es manifiesto que en los orígenes de cualquier política común en materia de

44. Directiva 2006/123/CE del Parlamento Europeo y del Consejo de 12 de diciembre de 2006 relativa a los servicios en el mercado interior. DOUE 27/12/2006 L 376/36.
45. En relación a la transcendencia del transporte por carretera para nuestro desarrollo interior, nuestra economía y sociedad véase Piñales Leal, F. J., *Régimen Jurídico del transporte por carretera, op. cit.*, nota 28, pp. 32-43.
46. Informe de la Comisión al Parlamento Europeo y al Consejo sobre la situación del mercado del transporte por carretera en la Unión Europea. COM (2014) 222 final. Bruselas, 14 de abril de 2014.

transportes la articulación del mercado exige de un mínimo grado de intervención para rebasar las dudas y las contrariedades prácticas derivadas de unas circunstancias jurídico-políticas, sociales y culturales nuevas[47]. Y en efecto, progresivamente procede reconducir esta política intervencionista hacia una libertad plena en el ejercicio de la actividad que consagre la autonomía de la voluntad de las partes y las citadas libertades[48]. Debemos subrayar que la conclusión nuclear más elemental que se tomó en el Consejo Europeo de Tampere con la finalidad de consolidar un espacio de libertad, seguridad y justicia, venía a disponer y matizar que en un efectivo y real Espacio Europeo de Justicia, no debe acaecer que la incompatibilidad, la diversidad o la complejidad de los sistemas jurídicos y administrativos de los Estados perteneciente a la Unión impida a empresas y a personas ejercitar sus derechos o los persuada de materializarlos[49].

2. LA CONCEPCIÓN ESPECIALIZADA DE CARÁCTER FENOMENOLÓGICO DEL DERECHO INTERNACIONAL PRIVADO

La concreción o determinación de la realidad sobre la que en el siglo XXI se proyecta el Derecho internacional privado y que integra su objeto y concepción ha mutado progresivamente hacia la especialización. Y esto nace de un profundo y reflexivo proceso en el que el concepto de Derecho internacional privado ha sido fuente de innumerables controversias y debates a lo largo de los años. El concepto, su objeto, su contenido e incluso su función han promovido sistemáticamente discusiones científico-doctrinales, algunas más acaloradas que otras y con mayor o menor razón. Como consecuencia de ello, se ha mantenido en el tiempo la diversidad de concepciones existentes y que coexisten sobre el Derecho internacional privado. Todas ellas en nuestra opinión defendibles científico-doctrinalmente.

Desde luego, dicho debate o discusión científico doctrinal tenía su razón de ser en la imperiosa necesidad de asentar y/o concretar los contornos de una disciplina autónoma nueva que se había separado de una época en la que vitalmente coexistía junto a la disciplina del Derecho internacional público. Evidentemente razones de carácter político e internas y geopolíticas en las que no entraremos habían imposibilitado la asunción de caminos

47. Sobre esta cuestión puede verse a Agoués Mendizabal, C., «La intervención administrativa en el transporte por carretera», *RDT*, núm. 7, 2011, pp. 51-92.
48. Véase, Carrascosa González, J., «La autonomía de la voluntad conflictual y la mano invisible en la contratación internacional», *La Ley*, núm. 7847, de 27 de abril de 2012.
49. De Miguel Asensio, P. «La evolución del Derecho internacional privado comunitario en el Tratado de Ámsterdam», *REDI*, vol. L, núm. 1, 1998, pp. 373-376.

distintos e independientes para ambas realidades que son totalmente divergentes.

Dibujados y asentados los contornos de nuestra disciplina en este siglo XXI de la especialización respecto de esos iniciales y existenciales momentos, y conscientes de que nuestra disciplina se encuentra actualmente en una época consolidada, madura y en su edad adulta, la razón de ser del mantenimiento de las clásicas concepciones junto al señalamiento de la concepción que fuera mayoritaria debe quedar superada en aras de la consolidación de una concepción que se adecue a los nuevos tiempos.

Está bien recordar que la *concepción histórica del Derecho internacional privado* entendía que el Derecho internacional privado era la parte del Derecho internacional público dedicada a determinar los casos en los que debía de ser aplicada la ley de uno u otro Estado. Es decir, que fijaba los límites de aplicación en el espacio de las leyes de los distintos países.

También está bien antológicamente recordar que *la concepción normativo-positivista del Derecho internacional privado* fue defendida por determinados autores académico-doctrinales para los que el objeto del Derecho internacional privado estriba en determinar el Derecho estatal aplicable a toda situación jurídica, independientemente de su carácter nacional o internacional, público o privado.

En efecto, una línea académica-doctrinal que entiende o entendía que el Derecho internacional privado es un mecanismo jurídico previo, un derecho que obligatoriamente debe de ser aplicado, y que consiste en un conjunto de normas que resuelven la cuestión del Derecho aplicable a las relaciones jurídicas[50].

Por otro lado, sumamente sugerente ha sido la defensa de la *concepción amplia y objetivista* de una corriente doctrinal consolidada que estima que el Derecho internacional privado es la disciplina que establece el régimen jurídico del tráfico externo o vida jurídica internacional de los particulares. Es decir, todas aquellas situaciones jurídicas en las que pueda identificarse un elemento de internacionalidad —o un elemento extranjero—, y que afecte a los particulares, independientemente de que la situación jurídica acontecida sea estrictamente de Derecho privado —relaciones entre particulares—, o de Derecho público —relaciones entre particulares y Estado—.

50. Por referencia en Calvo Caravaca, A. L. y Carrascosa González, J., *Tratado de Derecho Internacional Privado*, Tomo I, 2.ª Edición, Valencia, Tirant Lo Blanch, 2022, pp. 97 y ss. el profesor Luis Garau Juaneda defendió científico doctrinalmente la citada concepción.

Entre las materias que quedarían claramente afectas dentro del Derecho internacional privado para esta corriente doctrinal estarían: la competencia judicial internacional; el Derecho aplicable a las situaciones privadas internacionales e interregionales; los efectos de las decisiones extranjeras; el Derecho de extranjería; y el Derecho de nacionalidad.

A pesar de que es una concepción con grandes adeptos y defensores, también detractores, no ha sido la mayoritaria, aunque sí muy tenida en consideración, más aún en un mundo globalizado donde necesariamente se entremezclan el Derecho público y el Derecho privado en casi la totalidad de las relaciones jurídicas privadas de carácter internacional[51].

Finalmente, se encuentra *la concepción privatista, que* ha sido la mayormente respaldada, y cuyo posicionamiento ha pivotado sobre la premisa de que el Derecho internacional privado es el sector del ordenamiento jurídico de cada Estado que se ocupa de regular las situaciones privadas de carácter internacional[52].

La justificación de la primacía de esta concepción sobre las anteriormente expuestas ha quedado argumentada y motivada doctrinalmente mediante las siguientes razones. En primer lugar, esta concepción entiende que el objeto del Derecho internacional privado está compuesto de relaciones entre particulares de carácter internacional. Es decir, descarta *a priori* las relaciones de derecho público entre particulares y Estado.

En segundo término, este concepto de Derecho internacional privado ofrece una respuesta a los tres grandes interrogantes que suscitan, según dicha concepción mayoritaria, las relaciones privadas internacionales desde un punto de vista jurídico-legal. Por un lado, ¿Qué tribunales estatales conocen o han de conocer de las controversias que suscitan las situaciones privadas internacionales? Por otro, ¿qué derecho aplican a las mismas los tribunales? Y finalmente ¿Qué efectos surten en un país las decisiones extranjeras? No obstante, tampoco cabe obviar que la especialización actual del Derecho internacional privado permite adentrarse y ofrecer respuesta a una cuarta cuestión ¿Cuál es el derecho material o sustantivo aplicable finalmente a la controversia?

51. Entre otros, han defendido dicha concepción los profesores y profesoras: Julio Diego González Campos, Mariano Aguilar Navarro, Juan Antonio Carrillo Salcedo, Elisa Pérez Vera. También, Rodríguez Benot, a., Campuzano Díaz, B., Rodríguez Vázquez, M.ª A. y Ybarra Bores, A., *Manual de Derecho Internacional Privado*, 8.ª Edición, Madrid, Tecnos, 2021, pp. 17 y ss.

52. Para la concepción privatista: Fernández Rozas, J. C. y Sánchez Lorenzo, S., *Derecho Internacional Privado*, 11.ª edición, Cizur Menor, Thomson Reuters Civitas, 2020, pp. 23 y ss.

Para terminar, esta concepción entiende que el Derecho internacional privado forma parte del Derecho privado, al regular situaciones privadas internacionales que no afectan a las relaciones entre Estados soberanos, sino que estrictamente a intereses particulares[53].

Sin desatender ninguna de las concepciones esgrimidas y bebiendo de todas ellas a su vez, lanzamos a modo de reflexión algunos argumentos que nos permiten conformar una disertación acerca de la relevancia o necesidad de conformar una concepción plenamente adecuada al referido siglo XXI de la especialización. Y nos explicamos. La incontestable especialización de nuestra materia para este siglo XXI requiere para nuestra disciplina de un factor transformador que pase por no extrapolar miméticamente una visión instrumental de ésta a operadores jurídicos y empresariales.

Cabría conformar así una concepción especializada de carácter fenomenológico asentada como decimos en una época consolidada de una disciplina madura, adulta. De tal manera que la combinación cumulativa de la citada madurez junto con esta nueva concepción, dicho con todos los respetos, nos permite centrarnos en el estudio de las relaciones en las que existe un elemento de heterogeneidad de cualquier naturaleza. Cuidado, cuestión que sin duda no es incompatible precisamente con los elementos de internacionalidad, y/o heterogeneidad y/o transfronterizos o no de carácter público y/o privado que deben analizarse para el estudio del todo.

En efecto, se trataría de consolidar para la concepción de nuestra disciplina lo que de facto ya estamos haciendo dentro de la propia disciplina, que es pasar a estudiar bajo la premisa de la especialización fenomenológica temas, materias o fenómenos jurídicos especializados. Es decir, estudiar en su conjunto la relación laboral internacional[54], el Derecho del transporte

53. Para la concepción privatista también: Calvo Caravaca, A. L. y Carrascosa González, J., *Tratado de Derecho Internacional Privado*, Tomo I, 2.ª Edición, Valencia, Tirant Lo Blanch, 2022. p. 97 y ss. De igual forma, aunque con una perspectiva más aperturista: Esplugues Mota, C., Palao Moreno, G. y Iglesias Buhigues, J. L., *Derecho Internacional Privado*, Valencia, Tirant lo blanch, 2022, 16.ª edición, pp. 97 y ss. También sobre esta concepción: Garcimartín Alférez, F. J., *Derecho Internacional Privado*, Cizur Menor, Thomson Reuters Civitas, 6.ª Edición, 2021, pp. 31 y ss.

54. Entre otros: Espiniella Menéndez, A., *La Relación Laboral Internacional*, Valencia, Tirant lo Blanch, 2022; Casado Abarquero, M., *La autonomía de la voluntad en el contrato de trabajo internacional*, Cizur Menor, Thomson Aranzadi, 2008; Casado Abarquero, M., «Legislación aplicable a los trabajadores desplazados en el marco de una prestación de servicios en la Unión Europea», en Goñi Sein, J. L., e Iriarte Ángel, J. L. (Dirs.), *Prevención de riesgos laborales y protección social de trabajadores expatriados*, Cizur Menor, Thomson Reuters Aranzadi, 2019, pp. 339-369; Marchal Escalona, N., «La autono-

marítimo internacional[55], la relación familiar internacional[56], el contrato de embarque internacional[57], los conflictos de leyes internos[58] etc. Descender al estudio particularizado del todo sobre la materia o fenómeno concreto (Derecho procesal civil, Derecho conflictual, Derecho material, particularidades propias del sector abordado, normas de ordenación del sector, la

mía de la voluntad conflictual y sus límites en los contratos laborales en el sector del transporte por carretera», *Bitácora Millennium DIPr: Derecho Internacional Privado*, núm. 14, 2021, pp. 50-67; Marchal Escalona, N., «El desplazamiento de trabajadores en el marco de una prestación transnacional de servicios: hacia un marco normativo europeo más seguro, justo y especializado», *Revista de Derecho Comunitario Europeo,*, Año n.º 23, núm. 62, 2019, pp. 81-116; Vaquero López, M. C., «Mecanismos de Derecho Internacional Privado Europeo para la protección de los trabajadores en supuestos de deslocalización de empresas», *Anuario Español de Derecho Internacional Privado*, núm. 17, 2017, pp. 425-471; Palao Moreno, G., «La competencia judicial internacional en materia de contratos individuales de trabajo en el Convenio de Lugano», *Revista de Trabajo y Seguridad Social*, núm. 439, 2019, pp. 115-140; Carballo Piñeiro, L., «La gestión de los flujos migratorios y su impacto en las relaciones laborales», en Sobrino Heredia, J. M. y Oanta, G. A. (Coord.), *La construcción jurídica de un espacio marítimo común europeo*, 2020, pp. 55-79; Iriarte Ángel, J. L., «Capítulo XV. Ley aplicable a los contratos internacionales de trabajo: Reflexiones sobre la jurisprudencia del Tribunal Supremo», en Calvo Caravaca, A. L. y Carrascosa González, J. (Coord.), *El Tribunal Supremo y el derecho internacional privado*, vol. 1, Tomo 1, Murcia, Rapid Centro Color, 2019, pp. 335-361; Iriarte Ángel, J. L., «La precisión del lugar habitual de trabajo como foro de competencia y punto de conexión en los Reglamentos europeos», *CDT*, vol. 10, núm. 2, octubre de 2018, pp. 488-495.

55. Entre otros: Álvarez Rubio, J. J ., *Los foros de competencia judicial internacional en materia marítima: estudio de las relaciones entre los diversos bloques normativos*, Gobierno Vasco = Eusko Jaurlaritza, Servicio Central de Publicaciones = Argitalpen Zerbitzu Nagusia, 1994; Iriarte Ángel, J. L., «Transporte marítimo internacional de mercancías y terceros Estados», *RGLJ*, núm. 1, 1989, pp. 7-28; Álvarez Rubio, J. J., *Las Lecciones Jurídicas del Caso Prestige: Prevención, Gestión y Sanción frente a la contaminación marina por hidrocarburos*, Pamplona, Aranzadi, 2011, pp. 13-32; Álvarez Rubio, J. J., *Derecho Marítimo y Derecho Internacional Privado: algunos problemas básicos*, Servicio de publicaciones del Gobierno Vasco, 2000; Álvarez Rubio, J. J., «Competencia judicial internacional en el transporte internacional. Especial referencia al transporte marítimo», en De Eizaguirre Bermejo, J. M., «El Derecho del transporte marítimo internacional», *I Jornadas sobre Transporte Marítimo Europeo, aspectos mercantiles y jurisdiccionales*, Donostia (20 y 21 de mayo de 1993), Escuela de Administración Marítima-Itsas Arduralaritzazko Eskola, p. 133; Álvarez Rubio, J. J., «Implicaciones del Brexit para el transporte marítimo», *La Ley Unión Europea*, núm. 100, 2022, pp. 1-5; Belintxon Martín, U., «Derecho internacional privado y Derecho marítimo internacional: competencia judicial internacional y acuerdos atributivos de jurisdicción en la LNM», *CDT*, vol. 12, núm. 2, 2020, pp. 112-135; Fernández Rozas, J. C., «Alternativas e incertidumbres de las cláusulas de solución de controversias en la contratación marítima internacional», CDT, vol. 10, octubre 2018, núm. 2, pp. 333-375; Belintxon Martín, U., «El «des-Prestige» de las instituciones y la ausencia de especialidad ¿males del siglo XXI?: reflexiones sobre el asunto Prestige y la compleja relación del arbitraje con el sistema europeo», *La Ley. Mediación y arbitraje*, núm. 17, 2023, pp. 1-30.

incidencia en la relación privada del derecho público, Derecho comparado etc.).

Por otro lado, la nota de Derecho privado se nos hace muy discutible mantenerla en exclusividad, puesto que figuras como los contratos GtoG en los que un Estado vende a un Estado extranjero, muy frecuentemente armas, deben ser asumidos y estudiados por nosotros. O los temas sobre la incidencia de las sanciones internacionales, contenidas por ejemplo en un Reglamento europeo o una Decisión PESC, en multitud de contratos internacionales (materia propia de nuestra disciplina).

Por último, debemos centrarnos también en la operatividad práctica de lo abordado, de lo investigado, de lo estudiado, de tal manera que los contornos de nuestra disciplina aúnen la operatividad práctica, ya sea jurídico privada o mixta, del fenómeno jurídico concreto abordado. Y esto no supone promover un concepto de propiedad de ciertas materias para nuestra asignatura, a pesar de que es evidente que científica y doctrinalmente entran dentro de la dimensión nuestra, pero sí nos permitiría protegerla más y mejor para evitar o reducir exponencialmente las injerencias y el intrusismo no especializado de otras áreas en una materia intrínsecamente especializada.

Sin duda alguna, la citada concepción es la que nos permite configurar y reclamar la imprescindible especialización para el sector del Derecho del transporte internacional en nuestro siglo.

---

56. Diago Diago, M. P., «La reagrupación familiar de descendientes, personas sujetas a representación legal y de la «pareja de hecho» en la enésima modificación de la Ley 4/20002», *Revista de derecho migratorio y extranjería*, núm. 26, 2011, pp. 11-26; Quinzá Redondo, P., «De Sahyouni II (C-372/16) hacia el futuro con parada en Senatsverwaltung (C-646/20): El largo proceso de asimilación de los divorcios no judiciales en la Unión Europea», *Bitácora Millennium DIPr: Derecho Internacional Privado*, núm. 17, 2023, pp. 45-73.
57. Entre otros: Iriarte Ángel, J. L., *El contrato de embarque internacional, op. cit.*, nota 31.
58. Álvarez Rubio, J. J., *Las normas de derecho interregional de la ley 3/1992 de 1 de julio, de derecho civil foral del país vasco*, Oñati, Instituto Vasco de Administración Pública, 1995; Álvarez Rubio, J. J., «La vecindad civil como punto de conexión ante la creciente complejidad del sistema plurilegislativo español: Balance y perspectivas de futuro», *Derecho Privado y Constitución*, núm. 38, 2021, pp. 11-48; Iriarte Ángel, J. L., «Conflictos internacionales e interregionales de leyes. La norma del conflicto», *Iura vasconiae: revista de derecho histórico y autonómico de Vasconia*, núm. 17, 2020 (Ejemplar dedicado a: XVII Simposio de Derecho Histórico de Vasconia: la reforma del Fuero Nuevo de Navarra), pp. 495-524.

Capítulo 2

Los derechos humanos y el derecho socio-laboral internacional en el transporte por carretera. Últimas tendencias normativas

SUMARIO: 1. LA DIGNIDAD HUMANA Y LOS TIEMPOS DE CONDUCCIÓN Y DESCANSO: RETOS E INCERTIDUMBRES PARA EL SIGLO XXI. 2. EL NUEVO REGLAMENTO (UE) 2020/1054 DEL PARLAMENTO EUROPEO Y DEL CONSEJO DE 15 DE JULIO DE 2020. 3. LA POTENCIAL VULNERACIÓN DE LOS DDHH MEDIANTE LA ACTIVACIÓN DE FOROS EXORBITANTES EN EL DERECHO EUROPEO DEL TRANSPORTE POR CARRETERA. 4. ALGUNAS CONCLUSIONES PARCIALES.

1. LA DIGNIDAD HUMANA Y LOS TIEMPOS DE CONDUCCIÓN Y DESCANSO: RETOS E INCERTIDUMBRES PARA EL SIGLO XXI

La Unión Europea mediante sus legisladores y legisladoras ha trabajado con un proceder firme e ininterrumpido en los últimos lustros para posibilitar un marco normativo que amase diversos aspectos que tienen incidencia sobre las personas trabajadoras del sector. Sin duda, el Acuerdo europeo relativo al trabajo de los conductores de vehículos que efectúan transportes internacionales por carretera (AETR) de 1969-1970, impulsado por la OIT[1], que no elude las pautas hermenéuticas establecidas por el Convenio de Roma de 1950 y el TEDH, simboliza el cimiento congénito de un ámbito constituido y afianzado actualmente por medio de la convivencia de dispares bloques normativos[2].

1. BOE núm. 277, de 18/11/1976.
2. Directiva 2002/15/CE del Parlamento Europeo y del Consejo de 11 de marzo de 2002 relativa a la ordenación del tiempo de trabajo de las personas que realizan actividades

Dicho esto, en materia de tiempos de conducción y de descanso cabe resaltar el Reglamento (CE) 561/2006 de 15 de marzo de 2006, modificado recientemente mediante el Reglamento (UE) 2020/1054 del Parlamento Europeo y del Consejo de 15 de julio de 2020 relativo a los requisitos mínimos sobre los tiempos de conducción máximos diarios y semanales, las pausas mínimas y los períodos de descanso diarios y semanales (una norma que conjuga normas de ordenación administrativa[3] y laboral con normas de regulación[4]). Nuestro máximo órgano jurisdiccional, el TJUE, se ha posicionado en pluralidad de ocasiones sobre la interpretación de las normas contenidas en la norma referida. Norma que ha favorecido interpretaciones divergentes y en ocasiones contrapuestas por parte de los distintos Estados que componen la UE a la hora de delimitar la manera de orquestar los tiempos de descanso tras mantener una jornada de conducción y trabajo[5], y que recientemente ha sido profundamente modificada por medio del citado Reglamento (UE) 2020/1054 cuyo objetivo existencial es atenuar la connotación jurídico nacionalista que empieza a preponderar para el sector del transporte en los Estados miembros centrales de la Unión Europea. Una

móviles de transporte por carretera —DOUE L 80/35 de 23/03/2002—, el Reglamento 561/2006 del Parlamento Europeo y del Consejo de 15 de marzo de 2006 relativo a la armonización de determinadas disposiciones en materia social en el sector de los transportes por carretera —DOUE L 102/1 de 11/04/2006—, la Directiva 2003/59/CE del Parlamento Europeo y del Consejo de 15 de julio de 2003 relativa a la cualificación inicial y la formación continua de los conductores de determinados vehículos destinados al transporte de mercancías o de viajeros por carretera— DOUE L 226/4 de 10/09/2003—, la Directiva 2006/22/CE del Parlamento Europeo y del Consejo de 15 de marzo de 2006 sobre las condiciones mínimas para la aplicación de los Reglamentos del Consejo (CEE) n.º 3820/85 y (CEE) n.º 3821/85 en lo que respecta a la legislación social relativa a las actividades de transporte por carretera —L 102/35 de 11/04/2006—, el Reglamento (CE) n.º 1073/2009 del Parlamento Europeo y del Consejo de in-21 de octubre de 2009 por el que se establecen normas comunes de acceso al mercado ternacional de los servicios de autocares y autobuses y por el que se modifica el Reglamento (CE) n.º 561/2006 —DOUE L 300/88 de 14/11/2009— y con el Reglamento (UE) n.º 165/2014 del Parlamento Europeo y del Consejo de 4 de febrero de 2014 relativo a los tacógrafos en el transporte por carretera —DOUE L 60/1 de 28/02/2014—.

3. Véase, Gómez Puente, M., «La ordenación histórica del transporte por carretera», Menéndez, P. (Dir.), *Régimen Jurídico del Transporte Terrestre: Carreteras y Ferrocarril*, Tomo I, Cizur Menor, Aranzadi, 2014, pp. 167-189.
4. Entre otros puede verse a Agoués Mendizabal, C., «La intervención administrativa en el transporte por carretera», *RDT*, núm. 7, 2011, pp. 51-92.
5. Véanse a Sánchez Marcos, A., «El tacógrafo digital: sistema de seguridad y control de vehículos para transporte de viajeros y mercancías», *Actualidad Jurídica del transporte por carretera*, Madrid, Fundación Francisco Corell, 2005, pp. 105-109; Trujillo Pons, F., «La regulación del tiempo de trabajo en el transporte por carretera en la normativa comunitaria y su trasposición al ordenamiento jurídico español», en Petit Lavall, M.ª V., Martínez Sanz, F. y Recaldes Castells, A. (Dirs.), *La nueva ordenación del mercando de transporte*, Madrid, Marcial Pons, 2013, pp. 67-84.

modificación desacertada en mi opinión, puesto que este tipo de concesiones no hacen más que evidenciar que en determinados ámbitos las instituciones europeas, y la propia UE, no terminan de afrontar la obligada mutación hacia una integración plena en una sociedad de naciones (llámese los Estados Unidos de Europa). Apostar por la consolidación de los Estados Unidos de la UE desterraría cualquier intento de liquidación o progresiva dilución del proyecto común, y con ello, en materia de Derecho laboral internacional y social reducir las diferencias socio-económicas y culturales que junto a la inacabada materialización de la apertura y la supresión de las barreras interiores en el mercado único[6], se han acrecentado de forma exponencial creando inercias, que no sinergias, y protectorados nacionales internos a golpe de legislar sin mesura bordeando, cuando no claramente quebrantando, la legalidad de nuestro marco europeo.

La conocida LOI *n.º 2015-990 du 6 août 2015 pour la croissance, l'activité et l'égalité des chances économiques* francesa[7], *que* recoge en su artículo 280 la imposibilidad de ejecutar los descansos semanales reducidos en el habitáculo condicionado al efecto en la propia tractora del vehículo pesado es un claro ejemplo de ello[8]. En la actualidad según dicho precepto, no es posible, o por lo menos es perseguible penal y administrativamente en dicho país ejecutar los tiempos de descanso obligatorios en un camión para el que se ha abonado un sobrecoste en el precio al fabricante por parte del empresario porteador. Y todo ello contraviniendo nuestra legalidad europea, ya que el artículo 8.8 del citado Reglamento (CE) 561/2006 ampara que cuando el conductor del vehículo elija hacerlo, los períodos de descanso diarios y los períodos de descanso semanales reducidos tomados fuera del centro de explotación de la empresa puedan materializarse en el vehículo siempre y cuando éste vaya, óptimamente dispuesto para el descanso de cada uno de los conductores y se encuentre preceptivamente estacionado[9]. Una redacción del texto original que tras la modificación mantiene el mismo sentido normativo, pero normativizándolo en sentido negativo, oscuro, al no positivizar lo que si puede hacerse y recogiendo expresamente la prohibición al indicar que: [...]: *No podrán tomarse en un vehículo los períodos de descanso*

6. Fernández Rozas, J. C., *Sistema de Derecho económico internacional*, Cizur Menor, Thomson Civitas, 2010, pp. 55 y ss.
7. LOI n.º 2015-990 du 6 août 2015 pour la croissance, l'activité et l'égalité des chances économiques, Journal Officiel de la République Française, 07/08/2015, Texte 1 sur 115, www.legifrance.gouv.fr.
8. En este sentido, entre otros, Belintxon Martín, U., «Dumping Social, desarmonización socio-laboral y Derecho internacional privado: la des-Unión Europea», *AEDIPr.*, T. XVI, 2016, pp. 611-642.
9. Sobre otro enfoque que abarca esta cuestión puede verse a Belintxon Martín, U., «Prevención de riesgos laborales, transporte y derecho europeo: distorsiones de la realidad práctica», *La Ley Unión Europea*, núm. 73, 2019, pp. 1-19.

semanal normal ni cualquier otro período de descanso semanal de más de 45 horas que se tome como compensación de períodos de descanso semanal reducidos previos. Deberán tomarse en un alojamiento apropiado y adaptado para ambos sexos que disponga de instalaciones para dormir y sanitarias adecuadas.

Francia argumenta para justificar su nítida vulneración del Derecho de la UE que el objeto de su legislación nacional es posibilitar cotejar por parte de las autoridades públicas «*des conditions de travail ou d´hébergement incompatibles avec la dignité humaine*». En efecto, según la legisladora y/o el legislador francés la realización del descanso en la litera de la cabina tractora habilitada al efecto[10], se opone a la dignidad humana en el trabajo siendo incompatible con los Derechos Humanos. Cometer esta fechoría amparada por el Derecho de la UE, pero no por el Derecho francés, puede conllevar para la persona empresaria porteadora o transportista una pena privativa de libertad de hasta 5 años de cárcel y 150000 euros de multa según lo dispuesto por el articulo 225-14 del Code penal francés.

Dicho esto, es perentorio que recordemos que nuestro máximo órgano jurisdiccional vino a interpretar muy acertadamente el artículo 8.8 del Reglamento en su sentencia de 20 de diciembre de 2017[11]. Un criterio interpretativo en vigor, aplicable y completamente invocable a pesar de la oscura redacción actual del precepto. En efecto, el Tribunal concluyó adecuadamente (apartado 23), a pesar de los intentos en sentido contrario de los Estados Belga, Alemán, Austriaco y Francés, que los periodos de descanso diarios normales y semanales reducidos (aquellos de menos de 45 horas) pueden realizarse en vehículo siempre y cuando éste esté equipado para ello apropiadamente. No sería posible en cambio tomarse en el vehículo aquellos periodos de descanso calificados de semanales normales (superiores a 45 horas) que tendrán que tomarse indisponiblemente fuera del vehículo y en lugar habilitado para ello.

Desde luego, nada aporta a la seguridad jurídica del sector el encadenamiento en el tiempo de esta conflictividad interpretativa y la clara contravención del Derecho de la Unión Europea por parte de Francia mediante una interpretación normativa irresponsable y contraria a lo legislado por las instituciones europeas. Mantener esta actitud nos hace hoy menos europeos al permitir el incremento exponencial de la inseguridad jurídica para las empresas operadores en el sector (usuarias, cargadoras, pasajeras, por-

10. Sobre este particular puede verse Vaquero López, M.ª C., «Mecanismos de Derecho Internacional Privado Europeo para la protección de los trabajadores en supuestos de deslocalización de empresas», *AEDIPr*, núm. 17, 2017, pp. 425-471.
11. STJUE de 20/12/2017, Asunto C-102/16, Vaditrans BVBA *vs.* Belgische Staat.ECLI: EU:C: 2017:1012. Aranzadi.

teadores o transportistas contractuales, agentes, empresas de intermediación, transportistas/porteadoras efectivas, y/o comisionistas), la desconfianza mutua en el seno de la UE y la contracción del comercio internacional intra y extra-europeo decreciendo de esta manera el peso de garantías nucleares como la libre circulación[12], la libre prestación de servicios y la confianza depositada en el espacio de libertad, seguridad y justicia que nos hemos posibilitado entre todos y queda proyectado sobre el TFUE[13].

Desgraciadamente nuestro vital e inseparable vecino está empeñado en legislar en sentido contrario a la seguridad jurídica y a la estabilidad erosionando con ello la buena administración de justicia, la garantía recíproca en la confianza en seno de la justicia en la UE y el intento de evitar o cuanto menos reducir el afloramiento de procedimientos paralelos. Con complicidad o sin ella, las instituciones europeas parecen hacer pequeñas concesiones, inadvertidos guiños, a los Estados centrales de la UE y, sin embargo, para avanzar en la consolidación del proyecto es absolutamente necesario impedir la aplicación aberrante de una línea interpretativa del Derecho europeo contraria precisamente a su esencia vertebradora.

2. EL NUEVO REGLAMENTO (UE) 2020/1054 DEL PARLAMENTO EUROPEO Y DEL CONSEJO DE 15 DE JULIO DE 2020

Este nuevo reglamento europeo que entró en vigor a los 20 días de su publicación en el DOUE de fecha 31.7.2020, aunque con ciertos matices puesto que determinados preceptos no fueron de aplicación hasta el 2 de febrero de 2022, y otros elementales (artículo 1.15 y artículo 2.12) serán de aplicación a partir del 31 de diciembre de 2024, se erige como una fuente de modificación sustancial del Reglamento (CE) 561/2006 anteriormente citado aunque como advertimos con ciertos guiños cómplices e inadvertidos a los Estados centrales de la UE (Francia y Alemania por excelencia).

La nueva norma anuncia mediante una configuración llamativamente desarrollada de sus considerandos una multitud de materias que pretende abordar con sus concretas finalidades, teniendo como punto de referencia continuo y constante las deficiencias que las instituciones europeas han podido apreciar de la aplicación de las normas sociales vigentes en el Regla-

12. Así, entre otros, Belintxon Martín, U., «La confluencia de los distintos bloques normativos aplicables en materia de transporte internacional por carretera: divergencias y efecto distorsionador», en Petit Lavall, M. V., Martínez Sanz, F. y Recalde Castells, A. (Dirs.), *La nueva ordenación del mercado de transporte,* Madrid, Marcial Pons, 2013, pp. 15-20.
13. Fernández Rozas, J. C., «El Espacio de libertad, seguridad y justicia consolidado por la Constitución Europea», *La Ley,* D-195, 2004, p. 16.

mento (CE) 561/2006, y siempre sin desenfocar del objetivo final que advierten tener dichas instituciones europeas sobre la concreción material y definitiva de un sector del transporte terrestre por carretera seguro, eficiente y socialmente responsable que garantice la no discriminación y atraiga al sector a personas trabajadoras cualificadas, pero sin atender a nuestro juicio la plural configuración de los distintos intereses y Estados que componen el proyecto común.

Advierte la legisladora europea que han detectado determinadas deficiencias en la aplicación del marco jurídico y que las normas vigentes son poco claras en materias tales como los períodos de descanso semanal, el concepto de instalaciones de descanso, las pausas en la conducción en equipo, así como respecto a la ausencia de normas sobre el regreso de las conductoras y conductores a su domicilio, dando lugar a interpretaciones divergentes en los Estados miembros[14]. Cuestión ciertamente llamativa y que responde única y exclusivamente a los reclamos de los países centro europeos citados, Francia y Alemania principalmente, con el apoyo de España, Italia y Países Bajos, que han adoptado normas unilaterales que incrementan la inseguridad jurídica, la desigualdad de trato entre operadoras/es y conductores/as, obviando por momentos que el máximo órgano jurisdiccional de la Unión, el TJUE, ostenta la función de establecer un criterio común mediante su jurisprudencia ante interpretaciones divergentes, o interesadas, sobre una norma europea de aplicación directa como es el caso. Sobre todo, siendo conscientes de que los tiempos máximos de conducción y descanso diarios y semanales son la piedra angular para la conquista de la mejora de las condiciones socio-laborales de las personas conductoras y la seguridad vial en territorio UE.

Desde luego es necesario y deseable un cumplimiento eficaz, eficiente y armonizado de estas normas socio-laborales europeas con la finalidad de mejorar las condiciones de trabajo de las trabajadoras y trabajadores del sector garantizando con ello una competencia leal y no distorsionada[15] entre operadores de la Unión pero de distinta nacionalidad contribuyendo a la seguridad jurídica y a la seguridad vial, pero no dando la espalda a las particularidades comerciales, empresariales, el nivel del desarrollo de infraestructuras estatales y a los sectores que más aportan al PIB nacional

14. Respecto a la relación laboral internacional, su particularidad y el desplazamiento transfronterizo de personas trabajadoras y sus obligaciones: Espiniella Menéndez, A., *La Relación Laboral Internacional*, Valencia, Tirant lo Blanch, 2022, pp. 204 y ss.

15. Izquierdo Llaner, M. J. y Fernández Sánchez, G., «Regulación y competencia en el sector del transporte en España», en Fernández Farreres, G. (coord.), *Transportes y competencia. Los procesos de liberalización de los transportes aéreo, marítimo y terrestre y la aplicación del derecho de la competencia*, Madrid, Civitas, 2004, pp. 537-582.

de determinados Estados miembros como es el caso del transporte terrestre por carretera europeo. De lo contrario estaremos potenciando o apuntalando una más que evidente UE a dos velocidades que nada reporta al proyecto europeo común.

No obstante, expuesto lo anterior, esta modificación normativa también reporta determinados aciertos como por ejemplo la mejora en la regulación, delimitación y concreción de lo que supone la calificada como conducción en equipo. Es decir, hasta la incorporación de un nuevo párrafo o epígrafe en el artículo 7 del Reglamento (CE) 561/2006, en determinados trayectos de larga distancia, cuando la empresa transportista (mercancías o personas viajeras indistintamente) designaba dos conductores para la materialización del servicio de transporte por carretera desde el lugar de origen y destino y con la finalidad de que la conducción fuese más dinámica y el servicio pudiese prestarse en el menor tiempo posible se permitía que ambos conductores trabajasen en equipo turnándose tiempos en la conducción del vehículo.

De esta manera, para que la limitación proyectada por el artículo 6 de 9 horas de conducción máxima diaria (con la salvedad de la ampliación hasta 10 horas de 2 días por semana) por conductor en período de 4 horas 30 minutos, 45 minutos de descanso y 4 horas 30 minutos de conducción no fuese un hándicap para la prestación de un servicio eficiente y efectivo se articuló la posibilidad de activar la conducción en equipo de tal manera que entre los dos conductores se diese una suma de 18 horas de conducción diaria con los preceptivos tiempos de pausa o descanso. No obstante, el citado artículo 7 impedía considerar como pausa de 45 minutos el que cualquiera de los conductores, tras su tiempo de conducción, efectuase su pausa mientras el otro conductor procedía con la marcha en ruta conduciendo el vehículo hasta el lugar de destino. Es decir, una vez efectuada la primera conducción de uno de los conductores y previamente al inicio de la conducción del segundo conductor en la modalidad de conducción en equipo, el vehículo debía encontrarse detenido, y debidamente estacionado, a la espera de que el primer conductor materializase los 45 minutos preceptivos de pausa o descanso lo que ralentizaba la marcha y la prestación del servicio puesto que a pesar de encontrarse fresco y descansado para sus funciones, el segundo conductor no podía retomar la marcha sin incumplir la norma o dejar en tierra al primer conductor.

Por lo que, como advertimos, el actual artículo 7 integra un nuevo párrafo que enmienda tal infortunio permitiendo que en la conducción en equipo el conductor que ya haya participado de la conducción pueda hacer la pausa de 45 minutos en el vehículo en marcha mientras que el otro conductor conduce el vehículo a condición de que el primero no se dedique a asistir en la conducción a su compañero. Desde luego la configuración normativa anterior del precepto era ciertamente inadecuada y poco práctica por lo que la adaptación de la norma por la legisladora europea ha sido un acierto y esto no reduce ni los estándares de seguridad vial ni pone en peligro a los trabajadores[16].

Por otro lado, como ya hemos advertido, el nuevo reglamento por intereses diversos fortalece el control sobre los tiempos de descansos de las personas conductoras dedicadas al sector. Si bien estamos de acuerdo en que es un sector especialmente duro en su vertiente mercancías para aquellas trabajadoras y trabajadores que se dedican mayoritariamente al transporte internacional de mercancías de largas distancias al tener que pasar amplios periodos alejados de su domicilio, de su vida y de su familia. No es menos cierto que las autoridades políticas y administrativas de los Estados miembros que componen la Unión podrían facilitar la cosas invirtiendo lo necesario en infraestructura vial de última generación, construyendo apartaderos en condiciones dignas y de cierta calidad para que las personas conductoras puedan materializar los preceptivos descansos y estacionar los vehículos en condiciones óptimas de seguridad.

Esta no ha sido desgraciadamente la línea seguida por los Estados miembros ni por las instituciones europeas en esta materia, y el nuevo reglamento una vez más proyecta prácticamente todas las responsabilidades y las medidas a tomar sobre la porteadora o empresaria transportista. Nos explicamos, la nueva norma de la Unión promulga la necesidad de adaptación de las disposiciones sobre el descanso semanal normal de modo que sea más fácil para los conductores realizar las operaciones de transporte internacional en cumplimiento con las normas y llegar a su domicilio para disfrutar de su período de descanso semanal normal, y a su vez ser compensados íntegramente por todos los períodos de descanso semanal reducido. Debemos advertir que la legisladora muy habilidosamente deja fuera de la aplicación de la norma al transporte de personas viajeras por carretera (ninguna razón altruista hay en ello más que beneficiar a las grandes líneas europeas dedicadas al transporte de personas viajeras por carretera). Y se

16. La actual redacción del artículo 7 del Reglamento 561/20016 modificado por el Reglamento 2020/1054 queda de la siguiente manera: Tras un período de conducción de cuatro horas y media, el conductor hará una pausa ininterrumpida de al menos 45 minutos, a menos que tome un período de descanso. Podrá sustituirse dicha pausa por una pausa de al menos 15 minutos seguida de una pausa de al menos 30 minutos, intercaladas en el período de conducción, de forma que se respeten las disposiciones del párrafo primero. Un conductor que participe en la conducción en equipo podrá hacer una pausa de cuarenta y cinco minutos en un vehículo conducido por otro conductor, a condición de que no se dedique a asistir a este último.

acompaña tal referencia normativa advirtiendo que es necesario aplicar toda la flexibilidad posible en la programación de los períodos de descanso de los conductores debiendo ser transparente y previsible para el conductor, no debiendo perjudicar en modo alguno la seguridad vial al aumentar el nivel de fatiga de los conductores y conductoras, ni deteriorar las condiciones de trabajo. Y claro está, dicho nivel de flexibilidad no debe alterar el tiempo de trabajo actual del conductor o el tiempo máximo de conducción quincenal lo cual se debe acompañar de la aplicación de normas más estrictas sobre compensación de los descansos reducidos.

En consecuencia, una vez más el peso de dicha «flexibilidad» y de la mayor compensación recae única y exclusivamente sobre el porteador o la empresa transportista. Desde luego, detrás de todo ello no aflora la mejora sustancial de la calidad laboral del trabajador o trabajadora y sus condiciones de trabajo, los legisladores y las legisladoras nacionales, al igual que la legisladora de la Unión son muy conscientes de que debe allanarse para el próximo lustro el desembarco en el continente europeo y para las largas distancias del ferrocarril, por lo que la manera más directa de conseguirlo es utilizar la premisa de «más a más» en las condiciones socio-laborales, de tiempos de conducción de trabajo y descanso que deben imponerse a las empresas transportistas por carretera, junto a las medidas medio-ambientales a requerir para las bajas emisiones de los vehículos y el abandono o la permisión de la degradación de las infraestructuras viarias, puesto que los citados extremos cumulativamente aplicados nos lleva al trasvase implícito o de facto del transporte de mercancías y personas viajeras por carretera para las largas y medianas distancias hacia el ferrocarril. Un ferrocarril que por otro lado está recibiendo todas las atenciones de legisladores estatales y de la legisladora de la Unión con el desvío de ingentes recursos económico-monetarios para el desarrollo del ancho de vía, la mejora de la infraestructura ferroviaria y el impulso de los trenes de alta velocidad que pueden alcanzar con dichas mejoras una velocidad por tramos que oscila entre los 200 y los 500 km por hora. Cuando por otra parte, bien es sabido que las normas de seguridad vial y conducción de los Estados miembros de la Unión permiten a los transportistas de mercancías por carretera que sus vehículos alcancen velocidades máximas que oscilan entre los 80 y los 90 km por hora. Algo más para el sector de personas viajeras por carretera en autobús, pudiendo los vehículos en este caso alcanzar hasta los 100 km hora.

En adición a todo lo anterior, la nueva norma europea incrementa el período de control respecto a la norma original de tal manera que el control del tacógrafo digital por parte de las autoridades competentes en los controles en carretera permita comprobar y constatar debidamente si los transportistas, y por ende sus conductores, han respetado debidamente los tiempos de conducción y periodos de descanso en el día de control y en los 56 días anteriores. Es decir, que en la nueva norma se ha incrementado en 28 días hasta llegar a los 56 lo que en origen eran 28 días de control.

Téngase en cuenta, además, como es bien sabido, que el antiguo tacógrafo analógico ha sido desplazado por el citado y actual tacógrafo digital gracias a los avances tecnológicos que han sido capaces de automatizar mediante la inteligencia artificial los sistemas de conducción requiriéndose en la actualidad una intervención mínima o ninguna intervención directa por parte de las personas conductoras de los vehículos. Así, la Unión Europea es pionera en las nuevas tecnologías y prácticas innovadoras, avanza desatada hacia la automatización o uso de los sistemas de conducción autónoma en los Estados miembros vanagloriándose de los beneficios de la conducción autónoma. Con todos los respetos, a costa eso sí, de las personas y de las familias que trabajan y viven en este sector. Puesto que con la inteligencia artificial de por medio y la automatización corremos el riesgo de que las personas seamos desplazadas de los oficios, téngase en cuenta las bondades que, alumnos y alumnas, investigadores e investigadoras, despachos de abogados y abogadas han encontrado en herramientas como el conocido «chat GPT». Parece que, de seguir por esta senda, además de las personas dedicadas al sector del transporte, seremos también desplazadas las personas que nos dedicamos a la investigación, a la enseñanza, a la ciencia, a la transmisión de los valores etc. Habrá que estar para verlo y sobre todo esperemos poder posicionarnos en contra de un avance que parece tiene el claro objetivo, o cuanto menos tiene clara la finalidad de degradar en parte, y siempre desde nuestra opinión, la propia condición humana.

Advierte la nueva norma europea que la finalidad última, o su pretensión, en materia de tiempos de conducción y descanso es la de fomentar el progreso social mediante la concreción del lugar, o los lugares, en los cuales puedan tomarse los períodos de descanso semanal. Desde luego es necesario que los conductores disfruten de condiciones de descanso óptimas, y en especial la calidad del alojamiento durante los períodos de descanso semanal normal debe ser adecuado (es decir, no se refiere a los descansos diarios o semanales de carácter reducido que podrán seguir tomándose, con las excepciones que ya hemos tratado, en la cabina del vehículo habilitada al efecto con literas). En efecto, dichos descansos semanales normales no pueden tomarse en la cabina del vehículo y deben hacerse en un alojamiento adecuado (entiéndase por ello un hostal u hotel en ruta o fuera de ella) y cuyo abono corresponde imperativamente a la empresa transportista. La norma europea al delimitar o concretar el concepto de adecuado viene a referirse expresamente a un alojamiento de calidad y adaptado a ambos sexos para los descansos semanales normales tomados fuera de la residencia habitual o el domicilio familiar.

Como advertimos, toda la responsabilidad recae sobre las empresas transportistas, incluso la legisladora y el legislador de la Unión se atreven a delimitar cómo deben organizar las direcciones de dichas empresas los descansos en los trayectos en ruta. En ninguna otra profesión esto es así, revísese por ejemplo la indefinición de esta materia de horas vuelo y tiempos de descanso en el sector aéreo. Sinceramente nos parece jurídicamente obsceno el grado de intervención institucional y público administrativo sobre la materia, es económicamente insostenible, mucho más para las pequeñas transportistas autónomas que no puedan organizar su trabajo de tal manera que los conductores y conductoras de los vehículos no pasen períodos excesivamente largos fuera de sus domicilios y sin poder disfrutar de períodos de descanso largos en compensación a los calificados, y ya comentamos, descansos semanales reducidos.

Por si no fuera poca la injerencia en la organización de la actividad expuesta, la legisladora de la Unión también requiere de la organización y dirección de la empresa que la organización del viaje y de la ruta de regreso en vacío, o con carga, permita que se llegue al centro de operaciones, pabellón industrial o cochera localizada en el Estado miembro de establecimiento o al lugar de residencia del conductor, teniendo los conductores la potestad y libertad de elegir en qué lugar pasar su periodos de descanso. Esto también es poderosamente llamativo y jurídicamente no se sostiene, ninguna norma le posibilita al piloto o a la piloto de un avión dedicado al transporte de mercancías que pueda elegir en el viaje de regreso aterrizar y estacionar el avión en el hangar de la empresa en el aeropuerto correspondiente o estacionarlo cerca de su domicilio o residencia en un descampado o carretera que permita un aterrizaje en relativas óptimas condiciones.

El vehículo de la empresa tiene que descansar en la cochera o pabellón industrial de la empresa para que pueda ser controlado, chequeado, revisado y puesto a punto para el siguiente trayecto o servicio de prestación de servicios de transporte. Y además vigilado en un lugar seguro. Ésta es la única forma de controlar que el conductor o conductora regrese de manera periódica al establecimiento de la empresa y a su domicilio y pueda descansar, y esto es muy fácilmente controlable mediante los referidos tacógrafos digitales que dejan recogidos registros de todos los movimientos en ruta, o fuera de ella, del vehículo y el correspondiente conductor o conductora. Pruebas y documentación que están disponibles tanto en los citados locales de la empresa de transporte como en la memoria del tacógrafo digital del vehículo que es cuasi-imposible de manipular. De esta manera estarán disponibles para las autoridades de control y se podrán presentar ante un requerimiento de la autoridad administrativa correspondiente.

Por lo tanto, habiendo concretado que los denominados periodos de descanso semanales de carácter normal y los periodos de descanso mayores a éstos no pueden ejecutarse en la cabina del vehículo habilitada al efecto con literas (tras el pago de un sobrecoste por ello), ni en una zona habilitada para el estacionamiento, sino únicamente en un alojamiento adecuadamente habilitado, que pueda ser por norma general adyacente a una zona de estacionamiento potencial, la cuestión a plantearse es quién va asumir el coste de la inversión que supone o conlleva habilitar tales espacios. Éste y no otro es el verdadero problema que debe solucionarse. En efecto, estamos hablando de adecuar y posibilitar espacios de estacionamiento seguros y protegidos que proporcionen niveles adecuados de instalaciones para el descanso. Y esto únicamente en la Unión lo pueden promover las instituciones de la Unión Europea para que no sea un fracaso y quede incardinada dentro de la citada política común de transportes[17] que como ya hemos advertido en más de una ocasión es la menos común de todas las políticas en su estado actual.

Para ser claros, es fundamental que sea la Comisión Europea la que tome un papel protagonista en el asunto, pero desgraciadamente los encontrados intereses de los distintos Estados miembros de la Unión, principalmente de los Estados centrales de la Unión, nos hace no ser demasiado optimistas con ello. A pesar de eso, no es menos cierto que se están dando reiteradas declaraciones de intenciones en las que la Comisión advierte que está estudiando cómo fomentar el acondicionamiento de zonas de estacionamiento de alta calidad y que éstas, además de acceso al repostaje del vehículo, queden o se mantengan libres de hielo y nieve. La realidad es que la inversión en infraestructura que esto supondría es ingente, y a pesar de que estamos convencidos de que es lo que el sector necesita, no vemos posible que a corto plazo se pueda materializar puesto que seguirán encontrándose los intereses estatales de determinados Estados que no han posibilitado la cesión de la competencia exclusiva en materia de transportes a la Unión y a sus instituciones (que es lo que se requiere para proyectos de estas características).

Por otro lado, tenemos que ser conscientes de que hasta el momento el desarrollo de estas zonas de estacionamiento seguras y protegidas, allá donde las haya, quedan en manos privadas y la inversión a materializar es muy costosa por lo que el interés por ello es ciertamente muy menor a otro tipo de inversiones. Además, para el caso de que así sea, los duros procesos

17. González Alonso, L., «La política de transportes en la Comunidad Económica Europea», *DA*, núm. 185, 1990, pp. 703-720.

de auditoría requeridos por las normas europeas para la obtención de la certificación por parte de la Unión hacen que lo lógico sea que este tipo de infraestructuras queden en manos de las propias instituciones de la Unión o de las instituciones de los Estados miembros que pueden obtener suficientes oportunidades de cofinanciación y ayuda financiera para su construcción y mantenimiento. Lo más apropiado sería que se deleguen en la Comisión los poderes y facultades necesarias para que pueda procederse con ello a fin de garantizar la seguridad y la protección permanente de las zonas de estacionamiento. Por otro lado, tampoco debemos obviar que ya se trató la necesidad de prever el acondicionamiento de zonas de estacionamiento en las autopistas aproximadamente cada 100 km para que los usuarios profesionales de la carretera dispongan de zonas de estacionamiento que cuenten con el referido nivel adecuado de seguridad y protección. Poco se ha hecho.

Por lo que pueden apreciar, la correcta normativización de este tipo de cuestiones relacionadas con tiempos de conducción y descanso requieren de un nivel de especialización jurídica que en ocasiones pasa desapercibida por su ausencia en las normas propuestas por la legisladora y el legislador de la Unión. Y esto no es una crítica velada sino más bien una crítica de carácter constructivo. Como hemos referido, el grado de especialización de la actividad de transporte y del Derecho del transporte europeo e internacional es tal que requiere una respuesta muy reflexionada según la especialidad fenomenológica del sector concreto. Nos explicamos con un ejemplo práctico y muy técnico, muchas operaciones de transporte por carretera con independencia del modo dentro del territorio común comprenden una parte del viaje en transbordador marítimo, ferroviario o aéreo. En estos casos, dependiendo del modo en el que el vehículo por carretera se transborda por los otros medios, la aplicación de las normas sobre tiempos de conducción y descanso difiere. Es decir, no será lo mismo que lo que se transporte sea el remolque o el semirremolque del camión con la carga dentro, o que lo que se transporte sea el vehículo en su totalidad, tractora del vehículo y su remolque o semirremolque. Y para este último caso tampoco será lo mismo que el vehículo tractor y su remolque o semirremolque se transporte con o sin ruptura de carga. En uno u otro caso el cómputo de los tiempos de conducción y descanso deben materializarse de forma distinta en aplicación del mismo reglamento europeo.

Expuesto esto, también deben tenerse en cuenta otro tipo de supuestos, como por ejemplo aquellas ocasiones en las que un trabajador o trabajadora conductor de un vehículo pesado por carretera deben enfrentar circunstancias imprevisibles, o inevitables en nuestra concepción continental, o los denominados actos de Dios en el Derecho anglosajón, con las diferencias en cuanto a extensión de unas y otras. Circunstancias que pudieran hacer imposible llegar al destino acordado o al destino fijado sin infringir las normas europeas de aplicación a los tiempos de conducción, trabajo y descanso. Ante esta tesitura es necesario que las normas europeas sean flexibles ante este tipo de circunstancias excepcionales y se permita a los vehículos en ruta y a sus conductores que lleguen a destino para tomar el correspondiente descanso semanal, si fuere el caso, tras la culminación de la prestación del servicio. Dice el legislador en el referido reglamento, no alejándose en demasía de la definición recogida en los convenios internacionales aplicables al sector para la relación mercantil o comercial, que dichas circunstancias excepcionales son circunstancias que afloran de forma repentina y que resultan inevitables y no se pueden prever, y en las que de forma totalmente inesperada se vuelve imposible la aplicación total de las normas reguladas en la propia norma europea durante un breve período de tiempo. Esta indefinición en la regulación de la norma que es proyectada en el artículo 12 del propio reglamento promueve la inseguridad jurídica puesto que no se delimita un criterio objetivo de carácter hermenéutico ni una correlación cerrada de hechos que conlleven la inaplicación de las referidas normas.

En concreto, en la configuración actual del artículo 12 del Reglamento europeo se incorporan 4 nuevos párrafos quedando el precepto actualmente en el Reglamento 561/2006 de la siguiente manera,

> «Siempre que no se comprometa la seguridad en carretera, y con objeto de llegar a un punto de parada adecuado, el conductor podrá apartarse de los artículos 6 a 9 en la medida necesaria para garantizar la seguridad de las personas, del vehículo o de su carga. El conductor deberá señalar manualmente el motivo de la excepción en la hoja de registro del aparato de control o en una impresión del aparato de control o en el registro de servicio, a más tardar, al llegar al punto de parada adecuado.
>
> [...] Siempre que no se comprometa la seguridad en carretera, el conductor, en circunstancias excepcionales, podrá asimismo no observar lo dispuesto en el artículo 6, apartados 1 y 2, y el artículo 8, apartado 2, superando el tiempo de conducción diario y semanal en un máximo de una hora, para llegar al centro de operaciones del empresario o al lugar de residencia del conductor con el fin de disfrutar del período de descanso semanal.
>
> En las mismas condiciones, el conductor podrá superar el tiempo de conducción diario y semanal en un máximo de dos horas, siempre que tome una pausa ininterrumpida de treinta minutos inmediatamente antes de la conducción adicional para llegar al centro de operaciones del empresario o al lugar de residencia del conductor con el fin de disfrutar de un período de descanso semanal normal.

El conductor deberá señalar el motivo de la excepción manualmente en la hoja de registro del aparato de control o en un documento impreso del aparato de control o en el registro de servicio, a más tardar al llegar a destino o al punto de parada adecuado.

Cualquier extensión del tiempo de conducción se compensará con un período de descanso equivalente, que se tomará en una sola vez junto con cualquier período de descanso, antes de que finalice la tercera semana siguiente a la semana de que se trate».

Desde luego la técnica legislativa imprecisa proyectada sobre el párrafo segundo del presente precepto, que es el primero de los párrafos añadidos o incorporados por la nueva norma, no hace más que incrementar la inseguridad jurídica y la discrecionalidad en la aplicación y toma de decisiones respecto a la interpretación de lo que pueda considerarse como circunstancia excepcional. No estamos de acuerdo con esta técnica legislativa y una vez más denota la ausencia de especialización del legislador y la legisladora de la Unión a la hora de promulgar una norma de estas características. Fíjense en la diferente precisión técnica en la redacción del primer párrafo del artículo 12 que viene de la norma original y la indefinición y discrecionalidad de este segundo párrafo que se incorpora al Reglamento (CE) 561/2006 mediante el Reglamento (UE) 2020/1054.

Por lo demás, y respecto a la declaración de intenciones que recoge la nueva norma en su considerando número 34, ciertas matizaciones son necesarias. La propuesta no es, ciertamente inadecuada, sin embargo, es bastante irreal, o cuanto menos difícil de alcanzar en el corto o medio plazo. Y nos explicamos, el citado considerando hace una expresa mención a que sería importante que cuando transportistas o empresas porteadoras de terceros Estados no parte de la Unión desarrollan o materializan operaciones de transporte por carretera en la UE, estén sometidas a normas similares a las recogidas en la Unión sobre tiempos de conducción, descanso o trabajo. Esto únicamente es posible si se llega a amplios acuerdos o consensos que siembren cierta armonización a nivel internacional, con el instrumento jurídico que se negocie y se quiera utilizar, sobre cuestiones socio-laborales de este calibre. Lo demás sería tratar de imponer una perspectiva jurídico imperialista propia de otro siglo.

Dicho esto, el Acuerdo europeo relativo al trabajo de los conductores de vehículos que efectúan transportes internacionales por carretera (AETR) de 1969-1970, impulsado por la OIT que antes mencionamos es un marco normativo a tener en consideración como referencia de partida para efectuar unas negociaciones multilaterales con terceros Estados. Me refiero para, en su caso, su mejora, pero debemos ser conscientes que el marco normativo que contiene el Acuerdo no es exactamente «similar», si utilizamos la expresión utilizada por el legislador y la legisladora de la Unión en el reglamento europeo de aplicación, a lo contenido en los reglamentos europeos.

En efecto, las diferencias entre un marco regulador y otro existen, y algunas de ellas en determinadas materias son sustanciales o por lo menos importantes. Por ejemplo, la referencia expresa a las circunstancias excepcionales del artículo 12 del Reglamento (CE) 561/2006 modificado por el Reglamento (UE) 2020/1054 no existen en el artículo 9 del AETR, que es el precepto dedicado a las excepciones, y que únicamente hace referencia como excepción a la posibilidad de exceder de los tiempos de conducción máximos para llegar a un punto de parada adecuado sin comprometer la seguridad en carretera y siempre y cuando se garantice la seguridad de las personas.

Tampoco podemos dejar pasar la oportunidad de realizar una crítica constructiva a la nueva redacción del apartado 2 del artículo 9 dada por la nueva norma al Reglamento (CE) 561/2006. El apartado referido dicta expresamente que [...] Cualquier tiempo utilizado en viajar a un lugar para hacerse cargo de un vehículo comprendido en el ámbito de aplicación del presente Reglamento, o en volver de ese lugar, cuando el vehículo no se encuentre ni en el domicilio del conductor ni en el centro de operaciones del empleador en que esté basado normalmente el conductor, no se considerará como descanso o pausa excepto cuando el conductor se encuentre en un ferry o tren y tenga acceso a una cabina para dormir, cama o litera [...].

En el citado precepto se juega a la confusión por parte de la legisladora y confunde como es patente, intencionadamente o no, el tiempo de conducción y trabajo efectivo con el tiempo de disponibilidad (que por ejemplo, para el sector del transporte en el ordenamiento jurídico español según Convenio colectivo es de 12 horas), por lo que el tiempo utilizado en viajar a un lugar para hacerse cargo de un vehículo, o el de vuelta tras haber conducido previamente, es tiempo en el cual el trabajador o trabajadora está a disposición de la empresa (disponibilidad) y no debe nunca confundirse con tiempo de trabajo efectivo del conductor, que dicho sea de paso para dicha profesión es conducir. Por lo que, expuesto lo anterior, el retorno de una operación de este tipo según el legislador puede únicamente considerarse como descanso o pausa cuando el conductor tenga acceso a una cabina para dormir, cama o litera. Y esto, es totalmente incongruente con lo regulado por el artículo 7 que trata la conducción en equipo y que dispone que será considerada como pausa el descanso efectuado mientras otro conductor conduce el vehículo sin más exigencias. Ni cabina, ni cama, ni litera. Es decir, que en nuestra opinión es totalmente factible que la pausa o descanso se materialice sentado en las butacas que correspondan del medio en el que retorne tras la conducción, o en el que vaya para someterse a la correspondiente conducción, al igual que lo es para la conducción en equipo. Y esto nada tiene que ver con que evidentemente el trabajador está disponible para la empresa, en este caso a disposición de la empresa transportista o porteadora.

De otro lado, debemos valorar positivamente la expresa referencia que la nueva norma hace a los transportes de personas viajeras por carretera cuando anima a la Comisión al establecimiento de un marco jurídico regulador más apropiado para esta modalidad de transporte. En esencia, tiene la legisladora razón en ello, pero una vez más por el momento no pasa de una mera declaración de intenciones. Esto no obsta para a su vez valorar de muy positiva una medida normativa de estas características puesto que no es lo mismo transportar personas, que mercancías perecederas, o animales vivos.

Por su parte, el considerando 36 de la nueva norma nos parece, llana y sencillamente desde una perspectiva o un punto de vista de política legislativa, poco valiente. Y nos explicamos, los objetivos del citado reglamento europeo no debieran de ser la mejora de la seguridad vial y las condiciones de trabajo de los conductores de la Unión mediante la armonización de los tiempos de conducción, pausas, descanso y la homogenización de las normas sobre el uso y control de los tacógrafos tal y como la norma europea indica. Los verdaderos objetivos que debieran subyacer son la asunción de las competencias en materia de transporte, y en exclusiva, por las instituciones de la Unión, lo que permitiría la consolidación de una verdadera política común de transporte y con ello se podrían mejorar y armonizar en el seno de la Unión las condiciones socio-laborales y salariales (que quedan al amparo de cada Estado) de las trabajadoras y los trabajadores del sector. Probablemente pasen varios lustros más para que veamos un significativo avance en la materia.

3. LA POTENCIAL VULNERACIÓN DE LOS DDHH MEDIANTE LA ACTIVACIÓN DE FOROS EXORBITANTES EN EL DERECHO EUROPEO DEL TRANSPORTE POR CARRETERA

También en relación a la aplicación e interpretación del Reglamento (CE) 561/2006 sobre la armonización de determinadas disposiciones en materia social en el sector de los transportes por carretera[18] el/la legislador/a francés/

18. Sobre esta cuestión en particular, Iriarte Ángel, J. L., «La precisión del lugar habitual de trabajo como foro de competencia y punto de conexión en los Reglamentos europeos», *CDT*, vol. 10, núm. 2, octubre de 2018, pp. 488-495.

a se precipitó a interpretar y normativizar limitativamente en su legislación nacional, y además, con manifiesta transgresión de los artículos 6[19] y 7[20] de CEDH[21] y de los artículos 47[22] y 48[23] de la Carta Europea de Derecho Fundamentales[24] (ambos preceptos dedicados y garantes de la máxima expresión de la tutela judicial efectiva, el concepto de no pena sin ley y la buena

19. «1. Toda persona tiene derecho a que su causa sea oída equitativa, públicamente y dentro de un plazo razonable, por un Tribunal independiente e imparcial, establecido por ley, que decidirá los litigios sobre sus derechos y obligaciones de carácter civil o sobre el fundamento de cualquier acusación en materia penal dirigida contra ella. La sentencia debe ser pronunciada públicamente, pero el acceso a la sala de audiencia puede ser prohibido a la prensa y al público durante la totalidad o parte del proceso en interés de la moralidad, del orden público o de la seguridad nacional en una sociedad democrática, cuando los intereses de los menores o la protección de la vida privada de las partes en el proceso así lo exijan o en la medida en que sea considerado estrictamente necesario por el tribunal, cuando en circunstancias especiales la publicidad pudiera ser perjudicial para los intereses de la justicia. 2. Toda persona acusada de una infracción se presume inocente hasta que su culpabilidad haya sido legalmente declarada. 3. Todo acusado tiene, como mínimo, los siguientes derechos: a) a ser informado, en el más breve plazo, en una lengua que comprenda y de manera detallada, de la naturaleza y de la causa de la acusación formulada contra él; b) a disponer del tiempo y de las facilidades necesarias para la preparación de su defensa; c) a defenderse por sí mismo o a ser asistido por un defensor de su elección y, si carece de medios para pagarlo, a poder ser asistido gratuitamente por un abogado de oficio, cuando los intereses de la justicia así lo exijan; d) a interrogar o hacer interrogar a los testigos que declaren en su contra y a obtener la citación e interrogatorio de los testigos que declaren en su favor en las mismas condiciones que los testigos que lo hagan en su contra; e) a ser asistido gratuitamente de un intérprete si no comprende o no habla la lengua empleada en la audiencia».
20. «1. Nadie podrá ser condenado por una acción o una omisión que, en el momento en que haya sido cometida, no constituya una infracción según el derecho nacional o internacional. Igualmente, no podrá ser impuesta una pena más grave que la aplicable en el momento en que la infracción haya sido cometida.2. El presente artículo no impedirá el juicio o la condena de una persona culpable de una acción o de una omisión que, en el momento de su comisión, constituía delito según los principios generales del derecho reconocido por las naciones civilizadas».
21. BOE núm. 243, de 10 de octubre de 1979.
22. «Derecho a la tutela judicial efectiva y a un juez imparcial: Toda persona cuyos derechos y libertades garantizados por el Derecho de la Unión hayan sido violados tiene derecho a la tutela judicial efectiva respetando las condiciones establecidas en el presente artículo. Toda persona tiene derecho a que su causa sea oída equitativa y públicamente y dentro de un plazo razonable por un juez independiente e imparcial, establecido previamente por la ley. Toda persona podrá hacerse aconsejar, defender y representar. Se prestará asistencia jurídica gratuita a quienes no dispongan de recursos suficientes siempre y cuando dicha asistencia sea necesaria para garantizar la efectividad del acceso a la justicia».
23. «Presunción de inocencia y derechos de la defensa: 1. Todo acusado se presume inocente mientras su culpabilidad no haya sido declarada legalmente. 2. Se garantiza a todo acusado el respeto de los derechos de la defensa».
24. DOUE C 303 de 14 de diciembre de 2007.

administración de justicia)[25], que en materia de infracciones de carácter penal y/ o administrativo y/o sanciones penales y/o administrativas sometidas al texto europeo, las autoras y autores y/o personas cómplices de la potencial comisión de dichos delitos e infracciones pueden ser procesadas y posteriormente enjuiciadas, sin importar que dichos delitos e infracciones fuesen cometidos fuera territorio francés en materia de transporte internacional de mercancías y/o viajeros/as por carretera, por los órganos jurisdiccionales franceses cuando, de conformidad con las disposiciones del Libro I del Código Penal o de cualquier otra ley, la ley francesa sea aplicable, o cuando un convenio internacional o un acto adoptado con arreglo al Tratado Constitutivo de la Comunidad Europea otorgue a los tribunales franceses jurisdicción para conocer del delito.

La LOI n.º 2009-1503 de 8 de diciembre de 2009[26] mediante su artículo 36 que versa sobre infracciones nos remite al código penal francés y al código de procedimiento penal para esta cuestión[27]. Se posibilita concretamente en materia de transporte por carretera, aplicar el artículo 689 del Code de Procedure Pénale[28]que dispone,

---

25. Sobre la interpretación del artículo 47 de la CDFUE puede verse a Milione Fugali, C., «La interpretación del art. 47 CDFUE como expresión de la labor hermenéutica del Tribunal de Luxemburgo en la construcción de un estándar europeo de protección de los derechos», *Teoría y realidad constitucional,* núm. 39, (Ejemplar dedicado a: Monográfico: El TJUE como actor de constitucionalidad), 2017, pp. 655-674.
26. LOI n.º 2009-1503 du 8 décembre 2009 relative à l'organisation et à la régulation des transports ferroviaires et portant diverses dispositions relatives aux transport, du 8 décembre 2009. https://www.legifrance.gouv.fr/affichTexte.do?cidTexte=JORFTEXT000021451610&categorieLien=cid
27. I.–Après le deuxième alinéa de l'article 113-6 du code pénal, il est inséré un alinéa ainsi rédigé: «Elle est applicable aux infractions aux dispositions du règlement (CE) n.º 561/2006 du Parlement européen et du Conseil du 15 mars 2006 relatif à l'harmonisation de certaines dispositions de la législation sociale dans le domaine des transports par route, commises dans un autre Etat membre de l'Union européenne et constatées en France, sous réserve des dispositions de l'article 692 du code de procédure pénale ou de la justification d'une sanction administrative qui a été exécutée ou ne peut plus être mise à exécution». II. – A l'article 689 du code de procédure pénale, après les mots: «convention internationale», sont insérés les mots: «ou un acte pris en application du traité instituant les Communautés européennes». III. – Après l'article 689-10 du même code, il est inséré un article 689-12 ainsi rédigé: «Art. 689-12. – Pour l'application du règlement (CE) n.º 561/2006 du Parlement européen et du Conseil du 15 mars 2006 relatif à l'harmonisation de certaines dispositions de la législation sociale dans le domaine des transports par route, peut être poursuivie et jugée dans les conditions prévues à l'article 689-1 toute personne coupable d'infractions à la réglementation du temps de conduite et de repos au sens du chapitre II du même règlement commises dans un Etat de l'Union européenne».
28. https://www.legifrance.gouv.fr/affichCodeArticle.do;jsessionid=457FBE75F2A60AB5ECEFB0F711516927.tplgfr36s_1?cidTexte=LEGITEXT000006071154&idArticle=

> Les auteurs ou complices d'infractions commises hors du territoire de la République peuvent être poursuivis et jugés par les juridictions françaises soit lorsque, conformément aux dispositions du livre Ier du code pénal ou d'un autre texte législatif, la loi française est applicable, soit lorsqu'une convention internationale ou un acte pris en application du traité instituant les Communautés européennes donne compétence aux juridictions françaises pour connaître de l'infraction.

Sin duda, un diseño legislativo de exorbitantes competencias jurisdiccionales nacionales y criterios de atribución anquilosados en un concepto de justicia universal e imperialismo jurídico propio de un siglo XIX ya pasado que no hace sino mermar la alta dosis de seguridad jurídica que requiere imperativamente este singular sector del transporte. Es evidente, y por ello necesariamente criticable que este tipo de normas vulnera las garantías más elementales de las reflejadas por los artículos 6 y 7 del CEDH. En especial, la tutela judicial efectiva, el proceso justo y el derecho al juez o jueza predeterminada por la ley. No cabe obviar, puesto que sería un claro síntoma de falta de memoria, que el TEDH interpreta extensamente, sin restricciones y sin permisión de excepcionalidad el artículo 6 del citado CEDH. Vean lo que dice en el apartado 30 de su sentencia de 26 de octubre de 1984, Cubber vs. Belgium[29]: «*una interpretación restrictiva del artículo 6.1 [...] no encajaría con el objeto y finalidad de esta disposición, visto el lugar eminente que el derecho a un proceso justo ocupa en una sociedad democrática, en el seno del Convenio [...]*».

En idéntica línea interpretativa se vuelve a significar el TEDH sobre el mismo artículo 6 CEDH, apartado 66 de su sentencia de 23 de octubre de 1990, Moreira De Azevedo vs. Portugal[30], al indicar que «*In the Court's opinion, the right to a fair trial holds so prominent a place in a democratic society that there can be no justification for interpreting Article 6 para. 1 (art. 6-1) of the Convention restrictively*».

En efecto, atribución competencial injustificable de las autoridades francesas con la única finalidad de acaparar la asunción de la competencia para el conocimiento de cualquier infracción que haya podido cometerse en la

---

LEGIARTI000021486423&dateTexte=20200216&categorieLien=id#LEGIARTI000021486423

29. STEDH de 26 de octubre de 1984. Recuperada: https://hudoc.echr.coe.int/spa#{«fulltext»:[«16 de octubre de 1984»],«documentcollectionid2»:[«GRANDCHAMBER», «CHAMBER»],«itemid»:[«001-165125»]}.
30. STEDH de 23 de 10 de 1990. Recuperada: https://hudoc.echr.coe.int/spa#{«fulltext»:[«Moreira de Azevedoc.Portugal»],«documentcollectionid2»:[«GRANDCHAMBER», «CHAMBER»],«itemid»:[«001-57645»]}.

materialización de cualquier transporte que haya circulado por su territorio nacional en aplicación de los textos europeos vigentes (en particular los Reglamentos CE 1071,1072 y 1073 del año 2009[31]).

Expuesto lo anterior, debe recordarse que no es la única ocasión en la que la República Francesa emprende la configuración de foros exorbitantes para la asunción de competencia en cuestiones jurisdiccionales de carácter penal, administrativo, civil o mercantil. El artículo 14 del Code Civil francés es fiel reflejo de ello para cuestiones de Derecho procesal civil internacional:

> L'étranger, même non résidant en France, pourra être cité devant les tribunaux français, pour l'exécution des obligations par lui contractées en France avec un Français; il pourra être traduit devant les tribunaux de France, pour les obligations par lui contractées en pays étranger envers des Français.

Sin duda este ejercicio de nacionalismo jurídico incomprensible para la activación de competencia jurisdiccional por los tribunales franceses en las materias señaladas supondría el no reconocimiento y la inejecución de las resoluciones francesas y sus sanciones y/ condenas en el resto de Estados pertenecientes a la UE. En efecto, estaríamos hablando de sentencias de carácter claudicante.

Con todo ello, la derivada más alarmante de este posicionamiento jurídico inaceptable y contrario al Derecho europeo y a los Derechos Humanos conlleva que ante una condena penal o sanción (penal y/o administrativa) en la República Francesa de la empresa porteadora/transportista y/o las personas que dirijan y/o gestionen la entidad, la citada empresa perderá su honorabilidad y con ello la vigencia de la licencia comunitaria que le habilita para ejercer la profesión de prestadora de servicios de transporte por carretera en la Unión. Eso sí, para que dicha situación pueda darse dichas personas deben encontrarse retenidas por las autoridades públicas francesas y/o en prisión en Francia según la interpretación conjunta que se realiza en

31. Reglamento (CE) n.º 1071/2009 del Parlamento Europeo y del Consejo, de 21 de octubre de 2009, por el que se establecen las normas comunes relativas a las condiciones que han de cumplirse para el ejercicio de la profesión de transportista por carretera y por el que se deroga la Directiva 96/26/CE del Consejo. DOUE L300/51 de 14.11.209; Reglamento (CE) n.º 1072/2009 del Parlamento Europeo y del Consejo, de 21 de octubre de 2009, por el que se establecen normas comunes de acceso al mercado del transporte internacional de mercancías por carretera. DOUE L 300/72 de 14.11.2009; Reglamento (Ceno # 1073/2009 del Parlamento Europeo y del Consejo, de 21 de octubre de 2009, por el que se establecen normas comunes de acceso al mercado internacional de los servicios de autocares y autobuses y por el que se modifica el Reglamento (CE) n.º 561/2006. DOUE L 300/88 de 14.11.2009.

el ordenamiento jurídico francés de los artículos 10.3[32] del Reglamento (CE) 561/2006 y 6[33] del Reglamento (CE) 1071 del año 2009 sobre la precisión de las condiciones que han de respetarse por las empresas transportistas en materia de honorabilidad (inexistencia de condenas, sanciones y/o infracciones en materia mercantil, penal, socio-laboral, administrativa etc.) y que recogen una suerte de responsabilidad objetiva del empresario por las infracciones que las personas subordinadas cometan en cualquier Estado miembro. Cuestión que además encuentra cierto acomodo jurisprudencial en la sentencia del TJUE de 19 de octubre de 2016[34].

32. Artículo 10.3: «Las empresas de transporte tendrán responsabilidad por las infracciones cometidas por los conductores de esas empresas, aun cuando tales infracciones se hayan cometido en el territorio de otro Estados miembro o de un tercer país».

33. «Precisión de las condiciones que han de respetarse en materia de honorabilidad:1. Sin perjuicio de lo dispuesto en el apartado 2 del presente artículo, los Estados miembros determinarán las condiciones que deben cumplir las empresas y gestores de transporte a fin de cumplir el requisito de honorabilidad establecido en el artículo 3, apartado 1, letra b). Al determinar si una empresa cumple dicho requisito, los Estados miembros tomarán en consideración la conducta de la empresa, sus gestores de transporte y cualquier otra persona pertinente que pueda determinar el Estado miembro. Toda referencia que se haga en el presente artículo a condenas, sanciones o infracciones incluirá las condenas, sanciones o infracciones de la propia empresa, sus gestores de transporte y cualquier otra persona pertinente que pueda determinar el Estado miembro. Entre las condiciones mencionadas en el párrafo primero figurarán, como mínimo, las siguientes: a) que no exista ningún motivo importante para dudar de la honorabilidad del gestor de transporte o de la empresa de transporte, como la imposición de condenas o sanciones por cualquier infracción grave de la normativa nacional en vigor en los ámbitos de: i) el Derecho mercantil, ii) la legislación en materia de insolvencia, iii) las condiciones de remuneración y de trabajo de la profesión, iv) el tráfico por carretera, v) la responsabilidad profesional, vi) la trata de seres humanos o el tráfico de estupefacientes y b) que uno o varios Estados miembros no hayan condenado al gestor de transporte o a la empresa de transporte por una infracción penal grave o lo hayan sancionado por una infracción grave de la normativa comunitaria relativa, en particular, a: i) tiempo de conducción y períodos de descanso de los conductores, tiempo de trabajo e instalación y utilización de aparatos de control, ii) peso y dimensiones máximos de los vehículos de transporte en el tráfico internacional, iii) cualificación inicial y formación continua de los conductores, iv) idoneidad para la circulación por carretera de los vehículos de transporte, con inclusión de las inspecciones técnicas obligatorias de los vehículos de motor, v) acceso al mercado del transporte internacional por carretera de mercancías o, según el caso, acceso al mercado de transporte de viajeros por carretera, vi) seguridad del transporte de mercancías peligrosas por carretera, vii) instalación y utilización de limitadores de velocidad en determinadas categorías de vehículos, viii) permiso de conducir, ix) acceso a la profesión, x) transporte de animales [...]».

34. STJUE de 19 de octubre de 2016 (Asunto C-501/14, EL-EM-2001 vs. Nemzeti). Aranzadi.

Y recuérdese que la pérdida del título habilitante[35], la Licencia Comunitaria única, conlleva el cierre o cese de la actividad al ser jurídicamente imposible continuar con la actividad empresarial favoreciendo todo ello la destrucción de empleo, la desinversión y un menor progreso económico y social de la zona dónde dicha empresa quedaba radicada.

Desde luego la apertura de un foro exorbitante en Francia que no respeta ni el Derecho europeo ni los citados Derechos Humanos para el enjuiciamiento de la causa nos expone ante una compleja tesitura de difícil solución. Piénsese que una empresa condenada en Francia según estos criterios jurídicos no lo sería en el resto de Estados de la Unión, por ejemplo, España, puesto que al respetarse para estos supuestos en España la tutela judicial efectiva y el juez predeterminado por la ley como Derechos Humanos consagrados, la sentencia francesa claudicará en el paso ficticio de frontera y no será reconocida. Esto supondría que la empresa condenada en Francia no lo sería en el Estado de su nacionalidad y/o dónde radica su domicilio principal, con lo que nos encontraríamos ante una doble calificación sobre la legalidad de dicha empresa transportista para ejercer el comercio y la prestación de servicios de transporte según ejecute o realice transportes que tengan lugar de origen o destino, u origen y destino en Francia y/o pasen por territorio francés, o en el resto de los Estados miembro de la UE que aceptan dicha legalidad europea y la interpretación jurisprudencial del TJUE y del TEDH.

Controversia jurídico-político de calado que imperativamente tiene que resolverse con el robustecimiento del viejo proyecto de los Estados Unidos de la Unión Europea, un espacio común para todos de libertad, seguridad y justicia en el que imperen los Derechos Humanos que tanto esfuerzo ha costado consagrar.

4. ALGUNAS CONCLUSIONES PARCIALES

Ante la expuesta tesitura es necesario que esta importante actividad comercial sea reglamentada con mesura, sin prisa, y con normas claras y precisas que permitan, por un lado, simplificar el ejercicio diario de la actividad y, por otro, aportar una alta dosis de seguridad jurídica y previsibilidad de resultado para todos los actores. Se hace totalmente imprescindible desplazar, desterrar, la triple calificación de los servicios de transportes ejecutables en el seno del territorio común. La solución para este siglo XXI debe necesariamente pasar por diluir la calificación anquilosada en una

35. En relación al título habilitante puede verse Belintxon Martín, U. «El dilema en el conflicto del Taxi y el VTC: ¿La desregulación?», *Bitácora Millennium DIPr: Derecho internacional privado*, núm. 9, 2019, pp. 1-13.

concepción pasada de los transportes de cabotaje y priorizar únicamente la doble calificación de transporte internacional y transporte nacional, estatal o interno. Es imprescindible que la Licencia comunitaria única sea verdaderamente única y permita armonizar los títulos habilitantes y los condicionantes para obtenerla en toda la Unión, de tal manera que cualquier empresa porteadora o transportista europea puede efectuar servicios de transporte de mercancías y personas viajeras en territorio común sin limitación alguna ni barrera interior garantizándose con ello la libre prestación de servicios de transporte y la libre movilidad en el seno de la UE. Una Política Común de Transportes propia de este siglo debe pivotar sobre los pilares de la eficiencia, la efectividad y la consolidación plena.

En efecto, volvemos a reiterar que es necesaria la especialización para el sector del Derecho del transporte en nuestro siglo y por ello, cabría una vez más requerir de las instituciones de la UE la asunción de un mayor protagonismo en la materia si lo que se pretende es consolidar la política común de transporte primero, y el viejo proyecto de los Estados Unidos de Europa después. Debe limarse las diferencias para el sector del transporte por carretera conquistando de forma progresiva la equiparación de salarios mediante una norma europea armonizadora que normativice los costes de la mano de obra y otros tipos de elementos de retribución. Un salario mínimo europeo puede ser un paso nuclear para el sector del transporte por carretera, sobre todo en el ámbito mercancías donde las diferencias son mayores, junto a una mejor y mayor armonización fiscal. Todo esto permitiría reflejar que el compromiso de todos los actores Estatales y europeos institucionales lleva una misma dirección cuyo objetivo final sería la consolidación y consagración del proceso de integración. El protagonismo de los actores estatales debe reducirse en favor de la sociedad de naciones que representa la UE, sobre todo en sectores clave para el desarrollo del proyecto común como el transporte. Una sociedad de naciones, llámese los Estados Unidos de Europa o de la Unión Europea, que nos hemos dado con mucho esfuerzo y sacrificio, y que es imperativo conservar para los nuevos retos y desafíos que plantea un siglo XXI que desgraciadamente ha comenzado a sangre, pandemia y fuego.

Las instituciones europeas y el propio TJUE deben erigirse como actores clave para ofrecer respuestas jurídico-normativas y jurisprudenciales nítidas a la conflictividad interpretativa y a la vulneración de la legalidad europea que pudiera enarbolar cualquiera de los 27. No posibilitar una clara, contundente y temprana respuesta a cualquier desafío que perjudique los intereses de toda la Unión debilita un proyecto común en una época en la que los nacionalismos irredentos deben dejar paso a una Europa de las naciones, las regiones y los pueblos que ser vertebre sobre un óptimo sistema de trans

Capítulo 3

Notas actuales sobre jurisdicción y arbitraje en el derecho europeo del transporte por carretera

SUMARIO: 1. COMPETENCIA JUDICIAL INTERNACIONAL Y TRANSPORTE DE MERCANCÍAS POR CARRETERA. 2. DERECHO DEL TRANSPORTE INTERNACIONAL DE MERCANCÍAS POR CARRETERA, ARBITRAJE Y AUTONOMÍA DE LA VOLUNTAD. 2.1. *El Convenio CMR y el Arbitraje. A propósito de presupuesto de validez del artículo 33.* 2.2. *La particularidad del ordenamiento jurídico español: las Juntas Arbitrales de Transporte. Su configuración y proyección sobre el transporte internacional terrestre por carretera.* 3. LA APLICACIÓN SUBSIDIARIA DEL RBI BIS PARA DETERMINAR LA COMPETENCIA JUDICIAL INTERNACIONAL EN LOS CONTRATOS INTERNACIONALES DE TRANSPORTE DE MERCANCÍAS POR CARRETERA Y LA APLICACIÓN PRIORITARIA DEL PROPIO RBI BIS PARA CONCRETAR LA COMPETENCIA JUDICIAL INTERNACIONAL EN LOS CONTRATOS DE TRANSPORTE DE VIAJEROS POR CARRETERA.

1. COMPETENCIA JUDICIAL INTERNACIONAL Y TRANSPORTE DE MERCANCÍAS POR CARRETERA

El respeto y la garantía del axioma que representa la autonomía de la voluntad[1] de las partes contractuales en este importante sector del Derecho

1. Acerca de la autonomía de la voluntad en el sector del transporte, Castellanos Ruiz, E., *Autonomía de la voluntad y derecho uniforme en el transporte internacional*, Granada, Editorial Comares, 1999, pp. 12-15.

del transporte[2] y su proyección a modo de foro de competencia judicial internacional debe tenerse siempre presente al sopesar los distintos intereses que afloran y confluyen en la materia[3]. En efecto, la libertad y capacidad de las partes para determinar una cláusula atributiva de jurisdicción o una cláusula de sometimiento a arbitraje respecto a unos concretos órganos jurisdiccionales o a un arbitraje determinado[4], representa un concepto básico del actual Derecho del transporte internacional que hace gala de técnicas y singularidades características[5].

Sin duda la pluralidad de aspectos que deben valorarse a la hora de concretar la norma de aplicación para la cuestión dentro de los diversos bloques normativos coexistentes es, desde el punto de la Unión Europea, ciertamente amplia: sometimiento expreso o tácito a tribunal extranjero; prórroga y/o derogación de la competencia; validez del acuerdo atributivo desde la doble perspectiva formal y material[6]; la oponibilidad de la cláusula de jurisdicción o arbitraje frente a terceros no parte en el contrato, las relaciones *forum-ius*, la activación o desactivación de la regla de la especialidad según los criterios del TJUE en su sentencia TNT vs. AXA de 4 de mayo de 2010[7], y/o la restricción o minoración del juego de la libre autonomía de la voluntad de las partes[8].

2. Sobre el particular, Pichars, M., «L´évolution de la norme dans les transports», en Peru-Pirotte, L., Dupont-Legrand, B. y Landsweerdt, C. (Dirs.), *Le Droit du transport dans tous ses états: réalités, enjeux et perspectives nationales, internationals et européennes*, Bruselas, Larcier, 2012, pp. 17-48.
3. Entre otros, puede verse a Álvarez Rubio, J. J., Álvarez Rubio, J. J., «Competencia judicial internacional en el transporte internacional. Especial referencia al transporte marítimo», en De Eizaguirre Bermejo, J. M., «El Derecho del transporte marítimo internacional», *I Jornadas sobre Transporte Marítimo Europeo, aspectos mercantiles y jurisdiccionales*, Donostia (20 y 21 de mayo de 1993), Escuela de Administración Marítima-Itsas Arduralaritzazko Eskola, p. 133.
4. Belintxon Martín, U., «Derecho internacional privado y transporte aéreo: cuestiones de actualidad sobre jurisdicción y ley aplicable», en Petit Lavall, M.ª V. y Puetz, A. (Dirs.), *El transporte como motor del desarrollo socioeconómico*, Madrid, Marcial Pons, 2018, pp. 363-382.
5. Belintxon Martín, U., «Jurisdicción / arbitraje en el transporte de mercancías por carretera: ¿Comunitarización frente a internacionalización?», *Arbitraje: revista de arbitraje comercial y de inversiones*, vol. 7, núm. 3, 2014, pp. 707-743.
6. En este sentido, Belintxon Martín, U., «Derecho internacional privado y Derecho marítimo internacional: competencia judicial internacional y acuerdos atributivos de jurisdicción en la LNM», *CDT*, vol. 12, núm. 2, 2020, pp. 112-135.
7. STJUE (Gran Sala) de 4 de mayo de 2010 (Asunto C-533/08), ECLI:EU:C:2010:243. http://curia.europa.eu.
8. En relación a esta cuestión, Fernández Rozas, J. C., «Alternativas e incertidumbres de las cláusulas de solución de controversias en la contratación marítima internacional», *CDT*, vol. 10, octubre 2018, núm. 2, pp. 333-375.

El Convenio CMR de 1956[9] regula en sus artículos 31 y 33 un conjunto de normas procesales sobre competencia judicial y resolución de controversias para el caso de que surja una disputa en materia de transporte internacional de mercancías por carretera y las partes enfrentadas sean incapaces de resolver sus diferencias mediante cualquier tipo de acuerdo o negociación[10].

En efecto, tras una negociación infructuosa, la parte demandante deberá concretar los órganos jurisdiccionales ante los cuáles sea posible entablar la correspondiente acción. La finalidad del artículo 31 del texto internacional es por tanto identificar las alternativas jurisdiccionales existentes para la interposición de la acción, sin tener que recurrir a las normas de conflicto nacionales y/o particulares de Derecho internacional privado europeo o estatal[11].

Conforme a lo dispuesto por el artículo 31.1 del CMR, éste permite dos posibilidades jurisdiccionales, la primera de ellas es materializar un acuerdo de las partes para la elección de la jurisdicción competente, y en segundo lugar, en ausencia de lo anterior el texto normativo abre una serie cerrada de foros objetivos activables a elección de la parte actora en el procedimiento[12].

En relación a la primera de las posibilidades citadas, el pacto o acuerdo atributivo de jurisdicción, es necesario apuntar como nota característica que se trata de un pacto o acuerdo entre las partes contratantes del transporte de mercancías internacional a materializar y que versará sobre la elección del juzgado o tribunal competente para conocer de la controversia y que éste puede ser recogido con anterioridad, e incluso con posterioridad, a la realización del transporte, incluso una vez acaecida la controversia y que podrá recogerse tanto en el contrato como en la carta de porte o incluso verbalmente con confirmación escrita. En este sentido, debe subrayarse que

9. BOE, 07-05-74. Modificado por el Protocolo de Ginebra de 5 julio 1978, BOE, 18-12-82, corrección de errores de 15-06-95.

10. Messent, A. y Glass, D. A., *CMR: Contracts for the international carriage of goods by road*, 4.ª Edición, Londres, Informa Law from Routledge, 2018, pp. 291-302.

11. Artículo 31.1 CMR: «Para todos los litigios a que puedan dar lugar los transportes sometidos a este Convenio, el demandante podrá escoger, fuera de las jurisdicciones de los países contratantes designadas de común acuerdo por las partes del contrato, las jurisdicciones del país en el territorio del cual: a) El demandado tiene su residencia habitual, su domicilio principal o la sucursal o la agencia por intermedio de la cual ha sido concluido el contrato de transporte; b) Está situado en el lugar en que el transportista se hizo cargo de la mercancía o el lugar designado para la entrega de la misma. No pudiendo escogerse más que estas jurisdicciones».

12. Clarke, M. A., *International carriage of goods by road: CMR*, 6.ª Edición, Londres, Informa Law from Routledge, 2014, pp. 151-161.

el Convenio no menciona especial requisito de forma sobre la cláusula de sumisión jurisdiccional a acordar entre las citadas partes contractuales[13].

Dicho esto, una de las cuestiones con mayor interés en materia de competencia judicial internacional se centra en la limitación de la autonomía de la voluntad de las partes para la elección del foro jurisdiccional, cuando el Convenio dispone que el acuerdo o pacto entre las partes queda supeditado a que el país cuya jurisdicción se haya estipulado como competente sea miembro del propio Convenio CMR, es decir parte contratante del texto internacional.

La finalidad de esta mención no es otra que asegurar la aplicación efectiva del Convenio a todo supuesto internacional de transporte de mercancías por carretera no excluido explícitamente en alguna de sus disposiciones, y a su vez, considerar nulo según el artículo 41.1 todo pacto de sumisión jurisdiccional que confiera competencia para conocer de la controversia a un tribunal de un país no miembro del Convenio CMR.

Esta restricción cuantitativa a la libertad de elección de foro para el transporte internacional de mercancías por carretera es muy significativa, limitación que curiosamente no pasa desapercibida por su inexistencia en cuanto a la regulación de los foros objetivos alternativos del propio artículo 31 que conscientemente no repara en ello.

Nos explicamos, el Convenio reduce el margen de libertad de elección de foro a las partes contractuales, imponiéndoles que para el caso de que acuerden una cláusula atributiva de jurisdicción deberán designar obligatoriamente como competente un tribunal de un Estado parte en el propio Convenio. En consecuencia, una cláusula atributiva de competencia a un tribunal de un Estado no contratante será declarada nula, con independencia de que las leyes de ese tercer Estado permitan la aplicación íntegra del CMR.

Expuesto lo anterior, nada ni nadie impide que con la entrada en juego de los foros alternativos en ausencia de elección pactada, pueda aflorar el caso de que un país no firmante del texto internacional conozca de una controversia de estas características. Pues el Convenio no exige para su aplicación que tanto el país del lugar de toma de la mercancía, como el país del lugar previsto para su entrega sean parte de él, permitiendo que tan solo

13. Belintxon Martín, U., «Derecho internacional privado y transporte aéreo: cuestiones de actualidad sobre jurisdicción y ley aplicable», *op. cit.*, nota 4, pp. 363-382.

uno de los dos lo sea[14]. Una cuestión que hace del Convenio CMR un texto internacional único y que trae su razón de ser en la particular y expansiva configuración de su ámbito de aplicación. En efecto, una de las principales características del sistema convencional regulador del transporte internacional de mercancías por carretera, y sin duda una de las de mayor trascendencia, a pesar de la limitación geográfica, se centra en la extensión o amplitud de su ámbito objetivo de aplicación. El texto procura abarcar la regulación del máximo número de operaciones internacionales de transporte de mercancías por carretera posible, incluso cuando el propio vehículo cargado deba de ser transportado por mar, ferrocarril, vía navegable interior o aire en una parte de su recorrido, para poder cumplir con la ejecución del contrato en el punto o puntos de entrega acordados (art. 2).

Si lo comparamos con otros textos internacionales vigentes en materia de transporte, el Convenio CMR recoge en la definición sobre su ámbito de aplicación una particularidad cuanto menos llamativa. En efecto, como hemos advertido, para que sus disposiciones puedan ser aplicadas no es necesario que las diferentes localizaciones del transporte internacional de carga y descarga de las mercancías estén ambas situadas en países parte del Convenio internacional. Es decir, como requisito para su aplicación tan solo es exigible que uno de los países de alguna de las dos localizaciones sea Estado parte del Convenio. Esta especialidad es la que permite que la delimitación del ámbito objetivo de aplicación tenga una extensión cuanto menos sugerente, aunque en ocasiones en materia de competencia judicial, también conflictiva tal y como hemos indicado.

Es decir, el art. 1.1 del CMR fija el ámbito de aplicación del Convenio atendiendo a la materia regulada y a la localización del lugar de carga y descarga de la mercancía transportada, estableciendo que queda sometido a él todo contrato de transporte de mercancías por carretera realizado a título oneroso por medio de vehículos, siempre que el lugar de la toma de carga de la mercancía y el lugar previsto para la entrega, indicados en el contrato, estén situados en dos países diferentes, uno de los cuales al menos sea un país contratante, independientemente del domicilio y nacionalidad de las partes del contrato.

Por otro lado, y como ya hemos dejado entrever, ante la ausencia de acuerdo atributivo de jurisdicción el CMR enumera mediante su artículo 31 una serie de foros objetivos alternativos cerrados que hacen referencia al domicilio principal del demandado (pudiéndose entender por este tanto el

14. Sobre esta particular cuestión puede verse, Belintxon Martín, U., «Jurisdicción / arbitraje en el transporte de mercancías por carretera: ¿Comunitarización frente a internacionalización?», *op. cit.*, nota 5, pp. 707-743.

domicilio social como el domicilio de facto de la actividad), la sucursal u agencia donde se formalizó el contrato, o el lugar de carga de la mercancía o el lugar de destino (debiéndose entender por tal, el lugar establecido para la entrega de la mercancía recogido en la carta de porte u otro tipo de documentación, siendo intranscendente que la mercancías sean entregadas efectivamente o no).

Como quedó apuntado, ante la ausencia de un acuerdo atributivo de jurisdicción libremente pactado por las partes dentro del límite de las jurisdicciones de los países contratantes, el demandante podrá escoger cualquiera de los foros alternativos recogidos en el Convenio internacional.

Dicho esto, es necesario volver a subrayar que el condicionante limitador de la autonomía de la voluntad de las partes para la elección de la jurisdicción competente choca frontalmente con permitir una serie de posibilidades judiciales objetivas, que acrecientan el particular y llamativo ámbito de aplicación del Convenio, en detrimento de la seguridad jurídica. Tal consciente imprecisión en las reglas de conexidad premia al más veloz en la interposición de la acción, permitiendo divergencias en el resultado jurídico final dependiendo de si la demanda se interpone ante la jurisdicción de un país contratante u otro, o incluso ante un tercer país no parte del CMR, siendo sustanciales las diferencias existentes en la interpretación mediante la ley nacional del Estado correspondiente de ciertas lagunas del texto internacional, y también respecto a la ley aplicable a un transporte internacional de mercancías por carretera en un Estado no contratante, respecto a las materias de limitación de responsabilidad, *quantum* indemnizatorio, prescripción de acciones, ejecución de resoluciones judiciales y factores de responsabilidad.

En conclusión, la extensión del ámbito de aplicación de la norma declarado en el artículo 1 es controvertida, y exige para su aplicación que tan solo uno de los dos países donde se produce la carga de la mercancía o la entrega o descarga al destinatario sea miembro del Convenio CMR. Esto abre un margen nada despreciable para que los tribunales de un tercer Estado entren a conocer de un incumplimiento en la ejecución de un contrato de transporte internacional de mercancías por carretera que pueda finalmente conllevar responsabilidades tanto contractuales como extracontractuales, pues así lo permiten los foros objetivos establecidos en el CMR para los casos en los que no exista un pacto de elección jurisdiccional.

En todo caso, no debe olvidarse que un Estado que no es parte en el Convenio no tiene obligación de aplicarlo, y deberá tenerse en cuenta que el Juez o tribunal de ese Estado ajeno al CMR acudirá a su sistema de Derecho internacional privado, entrando a aplicar su normativa interna, o un Convenio especial en vigor y aplicable para los transportes internacionales de mercancías por carretera desde su particular perspectiva jurídica, que como el CMR tenga un ámbito de aplicación condicionado a que tan solo una de las partes forme parte del Convenio Internacional. Así podrá aducirse por parte de los juzgados y tribunales de este tercer Estado que el Derecho ajeno es contrario a ciertas normas estatales imperativas o incluso la siempre recurrente contrariedad del orden público, para no aplicar las disposiciones contenidas en el texto internacional.

2. DERECHO DEL TRANSPORTE INTERNACIONAL DE MERCANCÍAS POR CARRETERA, ARBITRAJE Y AUTONOMÍA DE LA VOLUNTAD

2.1. EL CONVENIO CMR Y EL ARBITRAJE. A PROPÓSITO DE PRESUPUESTO DE VALIDEZ DEL ARTÍCULO 33

En materia de arbitraje el Convenio CMR recoge de forma particular mediante su artículo 33 este método alternativo para la resolución de conflictos jurídico-privados en materia de transporte internacional de mercancías por carretera, diferenciándolo de forma específica del articulado relativo a competencia judicial internacional[15]. De esta manera dispone mediante el precepto citado que [...] El contrato de transporte puede contener una cláusula atribuyendo competencia a un Tribunal arbitral, a condición de que esta cláusula prevea que el Tribunal aplicará el presente Convenio.

La validez de estas cláusulas sumisorias o pactos de sumisión arbitral, contenidas asiduamente en cartas de porte (CMR), y/o en convenios arbitrales independientes formalizados por ambas partes y/o en contratos de transporte, quedan supeditadas o condicionadas a la aplicación por parte del árbitro o la árbitro, o tribunal arbitral, de las reglas contenidas en el CMR para dirimir la controversia suscitada[16]. De esta manera, se evita que las partes al recurrir al pacto de sumisión al arbitraje sorteen la imperatividad

15. Lasa Belloso, B., «Competencia judicial internacional y regulación del arbitraje en el convenio CMR», *Anuario Español de Derecho Internacional Privado*, t. IV, 2004, pp. 287-308; Putzeys, J., *Le contrat de transport routier de marchandises*, Bruselas, Bruylant, 1981, pp. 88-89.
16. Piñoleta Alonso, L. M., «El arbitraje en el transporte internacional de mercancías por carretera», *RCEA*, 1999, pp. 104-112; Puetz, A., «Transporte internacional de mercancías por carretera y sumisión a arbitraje: problemas en la aplicación del art. 33 CMR», *Arbitraje. Revista de arbitraje comercial y de inversiones*, 2011, vol. 4, núm. 3, pp. 869-884.

consagrada en el artículo 41 CMR, y sustraigan el hecho controvertido de los márgenes de aplicación del Convenio de 1956[17].

Y aquí es precisamente donde nace la controversia dirimida mediante la STSJ de Cataluña de 27 de mayo de 2022 que tiene origen en un procedimiento arbitral activado con motivo de una reclamación para el resarcimiento del perjuicio patrimonial derivado del incumplimiento de un contrato de transporte internacional por carretera, con el lugar de carga de mercancía ubicado en España y el lugar de entrega o descarga de la mercancía ubicado en Rusia (ambos Estados contratantes del Convenio CMR, por lo que es de aplicación tal texto normativo a la luz del artículo 1.1 sobre su ámbito de aplicación), y cuyo laudo es examinado por el TSJ mediante un juicio externo atinente al respeto del convenio arbitral, al cumplimiento de los principios esenciales de todo proceso y a la observancia de los derechos y libertades fundamentales reconocidos en el Capítulo II del Título I de la CE que sean invocados en cada caso por el demandante (artículo 41 LA), sin que pueda extenderse a los supuestos de infracción del derecho material aplicable al caso, y que en esta concreta controversia se circunscribe a dilucidar si el convenio arbitral contenido en el contrato de transporte controvertido es o no válido según lo preceptuado por el artículo 33 del CMR al omitir dicha cláusula, redactada en ruso, toda referencia a la previsión expresa de sujeción del fondo de la controversia al Convenio.

Conforme al tenor de lo establecido en el artículo 41 del CMR será nula e ineficaz cualquier estipulación que directa o indirectamente derogue las disposiciones del Convenio, garantizándose de esta manera que el árbitro o tribunal conocedor de la controversia aplicará el texto internacional[18], descartándose así la posibilidad de recurrir a un arbitraje de equidad. Del relato de los hechos el TSJ de Cataluña infiere que la árbitro no se pronunció en ningún momento del procedimiento sobre la validez de la cláusula arbitral desde la óptica del texto internacional.

De esta manera el TSJ concluye en los párrafos 2 y 3 del epígrafe 6, y 1 del epígrafe 7 de su Fundamento de Derecho Tercero que [...] la cláusula arbitral controvertida no satisface el presupuesto de validez que cierra el artículo 33 Convenio CMR. Con la exigencia de que la cláusula arbitral

17. Belintxon Martín, U., «El presupuesto de validez de la cláusula arbitral en el CMR: extensión vs. límites: Sentencia del Tribunal Superior de Justicia de Cataluña de 27 de mayo de 2022», *La Ley. Mediación y arbitraje*, núm. 14, 2023, pp. 2 y ss.

18. La doctrina admite que la controversia pueda someterse tanto ante un solo árbitro, como a tribunal arbitral. Entre otros: Sánchez Gamborino, F. J., *El contrato de transporte internacional: CMR*, Madrid, Tecnos, 1996, pp. 307-308; Pesce, A., *Il contratto di trasporto internazionale di merci su strada*, Pádua, Cedam, 1984, p. 350.

«prevea» —esto es, establezca expresamente, ya que se antoja prácticamente imposible una previsión tácita— que el tribunal arbitral aplicará las normas reguladoras del transporte internacional de mercancías por carretera contenidas en el Convenio CMR, se está reafirmando la imperatividad prácticamente total de sus disposiciones (art. 41.1), en un intento por propiciar la mayor uniformidad posible en el tratamiento de las controversias que origine esa clase de transporte internacional, preservando la composición de intereses ente cargadores y transportistas a que responde la norma (señaladamente, los límites cuantitativos de responsabilidad del porteador).

[...] Se pretende evitar una elusión de las normas imperativas del Convenio CMR a través de la estipulación de una cláusula arbitral que no establezca nítidamente que las normas de ese convenio regirán la decisión de la controversia, máxime si se tiene en cuenta (i) que sin esa referencia directa las partes o el tribunal arbitral pueden ignorar la inexcusable aplicación del Convenio CMR, y (ii) que es más factible obtener la anulación de un laudo dictado sin respetar la voluntad expresa de las partes que no por el mero hecho de haber dejado de aplicar al fondo de la controversia la norma imperativa pertinente.

[...] La aplicación del artículo 33 Convenio CMR por los tribunales abona la interpretación estricta de la norma acorde con su finalidad.

De tal criterio, no hermenéutico en mi opinión, y esgrimido en el Fundamento de Derecho referido por el TSJ de Cataluña, deben destacarse dos cuestiones de notable importancia. En primer lugar, y en similares términos a lo acontecido para los acuerdos atributivos de jurisdicción que ampara el Convenio CMR, debe recordarse que el momento de adopción del pacto de sumisión a arbitraje es esencial. En efecto, el pacto de sumisión expresa a arbitraje es válido independientemente del momento en el que se realice, pero su alcance y limitación en cuanto a la autonomía de la voluntad y la aplicación obligatoria de las disposiciones contenidas en el Convenio CMR varía según sea acordado en el propio contrato de transporte, en la carta de porte, o se realice con posterioridad al hecho controvertido, es decir, en el momento de la presentación de la reclamación, de tal manera que la interpretación estricta invocada por el Tribunal sobre el artículo 33 del CMR y su aplicación debe matizarse.

En efecto, el carácter imperativo del Convenio establece el margen a la autonomía de la voluntad de las partes para la elección de árbitro o tribunal arbitral competente para conocer de la controversia con anterioridad a que se produzca el hecho controvertido, delimitándolo a cualquier árbitro o tribunal arbitral ubicado en alguno de los Estados contratantes del Convenio; o a la residencia habitual del demandado o domicilio principal, sucursal o agencia donde se concluyó el contrato; o al lugar en el que el transportista se hizo cargo de la mercancía o al lugar de entrega. Pero el Convenio no puede evitar de ninguna manera que surta pleno efecto entre las partes un acuerdo o pacto de sumisión arbitral después de acontecido el hecho generador de la reclamación. Así, se abre la posibilidad de que las partes se sometan a un arbitraje de equidad o de derecho, ante el tribunal o árbitro que pacten entre ellas, independientemente de su ubicación. O incluso, que determinen como ley aplicable al fondo del asunto otra normativa distinta a la recogida y a lo establecido en el Convenio internacional. En consecuencia, el factor temporal es transcendental, pues si el acuerdo sobreviene con posterioridad al nacimiento de la controversia no hay limitación posible por parte del Convenio a los pactos *inter partes*[19].

No obstante, como es lógico, esto también tendrá una incidencia eminentemente práctica sobre el alcance frente a terceros del pacto previo al acontecimiento controvertido, de aquel que queda establecido entre las partes de manera particular y una vez acontecido el hecho generador de la reclamación[20]. Sin duda, la sumisión expresa a arbitraje, previa y consignada en la carta de porte, tiene un valor frente a terceros que no ostenta ni el pacto como cláusula contractual inmerso en el contrato particular *inter partes*, ni el convenio arbitral firmado también por voluntad de las partes. En efecto, la autonomía de la voluntad de las partes es la fuente generadora de la jurisdicción arbitral, y el pacto obliga a las partes a someter la controversia a arbitraje y aceptar el resultado final de la decisión del árbitro o árbitros[21].

La segunda cuestión a resaltar tiene relación con lo referido por la Sala en su párrafo 2, epígrafe 6 del propio Fundamento de Derecho Tercero cuando indica que [...] Con la exigencia de que la cláusula arbitral «prevea» —**esto es, establezca expresamente, ya que se antoja prácticamente imposible una previsión tácita**— que el tribunal arbitral aplicará las normas reguladoras del transporte internacional de mercancías [...][22]. En mi opinión, es ciertamente llamativo que la Sala se acoja a la tesis de la interpretación estricta de la norma en la aplicación del artículo 33 del CMR, y sin

19. Messent, A. y Glass, D. A., *CMR: Contracts for the international carriage of goods by road, op. cit.*, nota 10, pp. 336-339.
20. Clarke, M. A., *International carriage of godos by road: CMR, op. cit.*, nota 12, pp. 163-164.
21. González Campos, J. D., «Sobre el convenio de arbitraje en el Derecho internacional privado español», *Anuario de Derecho Internacional (Universidad de Navarra)*, vol. II, 1975, pp. 3-42. De igual forma *vid.* respecto a la validez y eficacia del convenio arbitral: Fernandez Rozas, J. C. y Artuch Iriberri, E., «Validez y eficacia del convenio arbitral», *Tratado de Derecho arbitral: El convenio arbitral*, Bogotá, Editorial Ibañez, 2011, pp. 17-ss.
22. Negrita nuestra.

embargo, no sea contundente en la afirmación que materializa respecto a la potencial existencia de una previsión tácita que en su opinión se antoja prácticamente imposible, que no imposible, en relación al presupuesto de validez que cierra el citado artículo 33 sobre la aplicación imperativa por parte de los árbitros, el árbitro o tribunal arbitral de las reglas uniformes.

Me explico, una parte importante de la doctrina más consolidada se posiciona en favor de considerar que la previsión de que el tribunal arbitral, los árbitros o la arbitro resuelvan el litigio aplicando las normas del Convenio CMR pueda figurar tanto en el compromiso, acuerdo o convenio arbitral de forma expresa o explicita, como pueda deducirse de su contenido, lo que posibilitaría la calificada como previsión tácita[23]. Cuestión esta última defendible. Téngase en cuenta que la remisión indirecta al texto internacional mediante una cláusula o pacto arbitral que designe como aplicable el Derecho de un Estado que haya incorporado el Convenio a su ordenamiento jurídico nos conduce a la práctica aplicación de la normativa uniforme imperante, por lo que nada debiera reprocharse a dicho posicionamiento doctrinal para la actividad comercial internacional de transportar a pesar de la oposición de otra parte importante de la doctrina, que es principalmente mayoritaria[24].

En definitiva, y a modo de conclusión parcial, debemos indicar que la Sala del TSJ acierta en su resolución al considerar que con independencia de cuál sea la ley por la que se rija el convenio arbitral, la falta de previsión o cumplimiento con el presupuesto de validez que cierra el artículo 33 del CMR determinará la nulidad de laudo y la invalidez de la cláusula arbitral (requisito de arbitrabilidad). Con lo que la partes deberán de dirigirse a la activación del artículo 31 del propio Convenio CMR para determinar los órganos jurisdiccionales ante los cuales sea posible entablar la correspondiente acción (en esencia, y ante la ausencia de acuerdo atributivo de jurisdicción, los foros objetivos alternativos activables son: domicilio principal de la parte demandada; la sucursal o agencia donde se formalizó el contrato, o el lugar de carga o el lugar de destino).

Dicho esto, para futuras resoluciones jurisprudenciales sobre la materia debe recordarse, en primer lugar, que no se puede desatender la máxima

23. Putzeys, J., *Le contrat de transport routier de marchandises*, Bruselas, Bruylant, 1981, pp. 94-102; Piñoleta Alonso, L. M., «Arbitraje de Transportes y Convención CMR», en Martínez Sanz, F. (coord.), *Problemas en la aplicación del CMR. Especial referencia a la responsabilidad*, Madrid, Fundación Francisco Corell en colaboración con el Ministerio de Fomento, 2002, pp. 110-111.

24. F. J. Sánchez Gamborino, *El contrato de transporte internacional: CMR*, *op. cit.*, nota 18, pp. 308-309; Clarke, M. A., *International carriage of goods by road: CMR*, Londres, Lloyd´s of London Press, 2009; Messent, A. y Glass, D. A., *CMR: Contracts for the international carriage of goods by road*, Londres, Lloyd´s of London Press, 1995, p. 258.

respecto a la validez, ni la incidencia eminentemente práctica sobre el alcance frente a terceros, ni el pleno efecto entre las partes de un acuerdo o pacto de sumisión arbitral después de acontecido el hecho generador de la reclamación. Téngase en cuenta que este acuerdo posterior de sometimiento a arbitraje, de equidad o de derecho, incluso puede determinar cómo ley aplicable al fondo del asunto otra normativa distinta a la recogida y a lo establecido en el Convenio internacional. Y finalmente, en segundo lugar, tampoco debe obviarse la configuración del debate doctrinal sobre la calificada como previsión tácita y los estándares de seguridad jurídica y previsibilidad de resultado que tal aplicación pudiera proyectar a pesar de la estricta interpretación mayoritaria del precepto.

Sin duda, como ya hemos advertido en múltiples ocasiones anteriores, es necesario que el sistema competencial establecido en el CMR evolucione sin condicionantes hacia criterios de atribución determinados por la autonomía de la voluntad de las partes, y evitar así que la regla de especialidad claudique en favor de instrumentos europeos como el RBI bis en aquellos casos en los que no se garantice un alto grado de previsibilidad, una buena administración de justicia, la reducción de procedimientos paralelos, unas condiciones igual de favorables que las previstas en la citada norma europea, la libre circulación de las resoluciones en materia civil y mercantil, y la confianza recíproca en la justicia en el seno de la UE.

Dicho esto, queremos volver a reiterar que es imprescindible la especialización para el sector del Derecho del transporte por carretera en nuestro siglo y cabría, en su caso, si la legisladora y el legislador así lo entienden, configurar instituciones arbitrales que promuevan arbitrajes institucionalizados de carácter mercantil y especializados en materia de transporte y Derecho del transporte nacional e internacional de mercancías por carretera. Desde luego, es necesario concentrar todas las controversias que puedan suscitarse en materia de transporte internacional europeo y extraeuropeo en un arbitraje especializado, compuesto por personas expertas en la materia que garanticen el conocimiento de las normas y usos del sector mediante un papel activo a lo largo de todo el procedimiento arbitral.

2.2. LA PARTICULARIDAD DEL ORDENAMIENTO JURÍDICO ESPAÑOL: LAS JUNTAS ARBITRALES DE TRANSPORTE. SU CONFIGURACIÓN Y PROYECCIÓN SOBRE EL TRANSPORTE INTERNACIONAL TERRESTRE POR CARRETERA

Como especialidad en materia de transporte existe el sistema recogido mediante la Ley 16/1987 de 30 de julio, de Ordenación de los Transportes terrestres (LOTT) y desarrollado por el Reglamento de la Ley de Ordenación de los transportes terrestres (ROTT)[25], modificado por la Ley 9/2013 de 4 de julio. Ya nos referimos a esta ley en un trabajo anterior[26] puesto que contiene un procedimiento arbitral que deviene del ámbito administrativo y que queda complementado mediante la Ley de Enjuiciamiento Civil (LEC)[27], la Ley 39/2015, de 1 de octubre, del Procedimiento Administrativo Común de las Administraciones Públicas[28] y la Ley 60/2003 sobre arbitraje[29]. Sin embargo, las últimas modificaciones normativas acaecidas que han modificado nuevamente la LOTT y el ROTT exigen una puesta al día de las consideraciones científico académicas anteriormente esgrimidas[30].

Nos estamos refiriendo a las Juntas Arbitrales de Transporte[31], que en esencia no son instituciones arbitrales, sino más bien órganos administrativos que promueven un arbitraje que se caracteriza por la simplificación de trámites, la no exigencia de formalidades especiales, y que no exige de un convenio arbitral, o por lo menos exime de su existencia, para los casos denominados de menor cuantía.

El propósito principal de dichas Juntas Arbitrales de Transporte es el de elucidar toda disputa de características mercantiles que se suscite en el marco de los contratos de transporte terrestre nacionales e internacionales, y de otras actividades auxiliares y complementarias en materia de transporte[32]. Respecto a su composición, las Juntas Arbitrales de Transporte quedan conformadas por el presidente y por un mínimo de dos vocales y un máximo de cuatro. Entre ellos necesariamente deberán formar parte de

---

25. Real Decreto 1211/1990, de 28 de septiembre, por el que se aprueba el Reglamento de Ordenación de los Transportes Terrestres. BOE de 08 de octubre de 1990.
26. Belintxon Martín, U., *Derecho europeo y transporte internacional por carretera,* Cizur Menor, Aranzadi-Thomson Reuters, 2015, pp. 191-203.
27. BOE núm. 7 de 08 de enero de 2000.
28. BOE núm. 236 de 02 de octubre de 2015.
29. BOE núm. 309 de 26 de diciembre de 2003.
30. Entre otras: Real Decreto-ley 3/2018, de 20 de abril, por el que se modifica la Ley 16/1987, de 30 de julio, de Ordenación de los Transportes Terrestres, en materia de arrendamiento de vehículos con conductor. BOE núm. 97 de 21 de abril de 2018; y, el Real Decreto 70/2019, de 15 de febrero, por el que se modifican el Reglamento de la Ley de Ordenación de los Transportes Terrestres y otras normas reglamentarias en materia de formación de los conductores de los vehículos de transporte por carretera, de documentos de control en relación con los transportes por carretera, de transporte sanitario por carretera, de transporte de mercancías peligrosas y del Comité Nacional del Transporte por Carretera. BOE núm. 44 de 20 de febrero de 2019.
31. Respecto al arbitraje de transporte ante las Juntas Arbitrales —antiguas Juntas de Detasas—, puede verse entre otros: Sánchez Gamborino, F., «Arbitration in Spain for Goods Transport: Juntas Arbitrales de Transporte», *Liber Amicorum Jacques Putzeys: Études de Droit des transports*, Bruselas, Bruylant, 1996, pp. 117-130.
32. Dicho esto y en virtud del artículo 6 del ROTT: 1. De conformidad con lo previsto en el artículo 38 de la LOTT, corresponde a las Juntas Arbitrales del Transporte el ejercicio

la Junta, dos vocales como representantes de los cargadores o usuarios y de las empresas del sector del transporte. Además, el presidente será designado por la administración de entre su personal, siempre y cuando sea licenciado en derecho y conocedor de las materias competencia de la Junta. En cuanto a los dos vocales restantes, y para los casos en los que así se estime conveniente (es decir los no designados por cargadores o usuarios y empresas), serán elegidos de entre el personal de la administración, y tan solo podrá exigírseles que tengan conocimientos específicos en la materia[33].

de las siguientes funciones: a) Resolver las controversias de carácter mercantil surgidas en relación con el cumplimiento de los contratos de transporte terrestre y de aquellos otros que tengan por objeto la prestación de las actividades auxiliares y complementarias del transporte reguladas en la LOTT. Quedan, en todo caso, excluidas de la competencia de las Juntas las controversias de carácter laboral, penal o tributario) Acordar el depósito de mercancías transportadas y, en su caso, enajenarlas, en los supuestos en que así se encuentra previsto en la Ley 15/2009, de 11 de noviembre, del Contrato de Transporte Terrestre de Mercancías. c) Realizar las funciones de peritación previstas en la Ley 15/2009, de 11 de noviembre, del Contrato de Transporte Terrestre de Mercancías.

33. Artículo 8 ROTT: 1. Las Juntas Arbitrales del Transporte estarán compuestas por el presidente y por un mínimo de dos y un máximo de cuatro vocales, designados todos ellos por las comunidades autónomas a que se refiere el apartado 1 del artículo anterior, o, en su caso, por la Dirección General de Transportes por Carretera. Deberán, en todo caso, formar parte de las Juntas los dos Vocales representantes de los cargadores o usuarios y de las empresas del sector del transporte a que se refieren los apartados 3 y 4 de este artículo, sin perjuicio de lo dispuesto en el artículo 9.7. 2. El Presidente y, en caso de estimarlo procedente, dos Vocales como máximo, serán designados entre personal de la Administración con conocimiento de las materias de competencia de la Junta. El Presidente habrá de ser Licenciado en Derecho. 3. Una de las dos vocalías obligatorias será ocupada por un representante de los cargadores o de los usuarios. A tal efecto se designarán dos personas que actuarán, respectivamente, en las controversias, según las mismas se refieran a transportes de viajeros o de mercancías; la primera de ellas será nombrada a propuesta de las asociaciones representativas de los usuarios y la segunda de las asociaciones representativas de los cargadores o de la Cámara Oficial de Comercio, Industria y Navegación correspondiente, según determine el órgano competente para realizar la designación. 4. La vocalía obligatoria restante será ocupada por el representante de las empresas de transporte o de actividades auxiliares y complementarias de éste. A tal efecto podrán designarse varias personas en representación de los diversos sectores del transporte, que no podrán exceder de los que constituyan sección independiente en el Comité Nacional del Transporte por Carretera, existiendo como mínimo un representante del sector de las empresas de transporte de viajeros y otro del de mercancías. Se designará, asimismo, al menos un representante de las empresas de transporte por ferrocarril y podrá designarse otro de las empresas de transporte por cable. Según determine el órgano competente, el nombramiento de las personas a que se refiere el párrafo anterior se realizará a propuesta del órgano institucionalizado de representación de las empresas de transporte existentes, en su caso, en el territorio de la comunidad autónoma de que se trate, de las asociaciones representativas del sector en dicho territorio o del Comité Nacional

De especial interés, sobre todo en su proyección sobre los transportes internacionales de mercancías es lo dispuesto en el artículo 9 del ROTT. El primer epígrafe de dicho precepto hace referencia al plazo de prescripción para la interposición de la acción por el actor ante las Juntas Arbitrales de Transporte efectuando una remisión a lo dispuesto en materia de plazo por la norma imperante para regular un contrato de transporte terrestre de mercancías por carretera tanto en su variante internacional (CMR) como en su variante nacional (LCTTM[34] y LOTT). Recuérdense las diferencias en materia de prescripción de una y otra para los casos en los que aflore daño causado por dolo o culpa y que para el CMR se regirá mediante su artículo 32.1 con un plazo de prescripción general u ordinario de un año y de tres en caso de dolo, negligencia o culpa[35], y sin embargo para la LCTTM (artículo 79.1) si bien el plazo general también será de un año, en caso de daños por actuaciones de carácter doloso, con infracción consciente y voluntaria del deber jurídico asumido el plazo de prescripción será de dos años[36].

---

del Transporte por Carretera y de RENFE o, en su caso, otras empresas ferroviarias. 5. Las distintas personas a que refiere el punto anterior actuarán según cual fuere el sector del transporte al que se refiera la controversia. Cuando el conflicto se suscite entre dos Empresas transportistas o de actividades auxiliares y complementarias del transporte, no actuará el Vocal representante de los cargadores o usuarios a que se refiere el punto 3, siendo las dos vocalías obligatorias ocupadas por los representantes de los dos sectores a que correspondan las empresas en conflicto, cuando éstos fueren diferentes y estuvieran designados representantes distintos para ambas o actuando solamente el único Vocal competente, cuando no se den estas últimas circunstancias. 6. El órgano competente sobre cada Junta de Arbitraje del Transporte designará asimismo el Secretario de ésta, pudiendo recaer dicho cargo en uno de los Vocales miembros de la Administración que, en su caso, existan. Se adscribirá a la Secretaría de la Junta el personal auxiliar que resulte preciso para el funcionamiento de la Junta. Podrán designarse miembros suplentes, tanto del Presidente como de los Vocales y Secretario de las Juntas. 7. En las controversias que puedan surgir entre los empresarios del sector y los usuarios definidos por el artículo primero, apartados 2 y 3, de la Ley 26/1984, de 19 de julio, General para la Defensa de los Consumidores y Usuarios, las Juntas Arbitrales estarán compuestas por un Presidente y dos vocalías, que serán designadas de la forma siguiente: El Presidente y una vocalía según lo establecido en los apartados 1 y 4 de este artículo y la otra vocalía será ocupada por un representante de las Asociaciones de Consumidores y Usuarios, designado a propuesta del Consejo de Consumidores contemplado en los artículos 5 y concordantes del Real Decreto 825/1990, de 22 de junio.

34. Ley 15/2009, de 11 de noviembre, del contrato de transporte terrestre de mercancías. BOE núm. 273 de 12 de noviembre de 2009.

35. Art. 32. 1. Las acciones a las que puedan dar lugar los transportes sometidos a este Convenio prescriben al año. Sin embargo, en el caso de dolo o de culpa equivalente a dolo según la Ley de la jurisdicción escogida, la prescripción es de tres años. se aplicará a la interrupción de la prescripción.

36. Artículo 79 Plazos generales: 1. Las acciones a las que pueda dar lugar el transporte regulado en esta ley prescribirán en el plazo de un año. Sin embargo, en el caso de que

Un artículo 9 ROTT que encierra una redacción completa al describirnos además de lo anterior el procedimiento para accionar ante las Juntas mediante escrito firmado por la parte actora, o su representante, que recoja la identificación de la parte frente a la que se reclama, concretando la exposición de los fundamentos de hecho y de derecho en los que se justifique tal reclamación y especificando de forma clara y precisa la petición con proposición de las pruebas que se estimen convenientes o necesarias. Tras su recepción la secretaría de las Juntas Arbitrales dará traslado a la contraparte de la reclamación articulada señalando fecha para la vista oral (a excepción de las controversias inferiores a 100 euros que serán dilucidadas de manera escrita teniendo la parte reclamada plazo de diez días para formular escrito de alegaciones frente a la reclamación recibida). En la vista oral ambas partes podrán esgrimir los argumentos que a su derecho convenga, aportando y/o proponiendo las pruebas que estimaren necesarias para dilucidar la controversia acaecida. Una vez escuchadas ambas partes, practicada y recibidas las pruebas la Junta Arbitral dictará laudo en el plazo recogido en la legislación de arbitraje imperante en el ordenamiento jurídico español. Un laudo que será acordado por mayoría simple de los miembros de la Junta, dirimiendo los empates el voto de calidad de la persona que ostente la presidencia.

El sistema de atribución competencial en materia de transporte al arbitraje de las Juntas viene determinado, en primer lugar, por la materia: contrato de transporte terrestre; en segundo término, por un acuerdo o convenio arbitral; y finalmente, mediante atribución automática de cualquier controversia en materia de transporte terrestre que no supere la cuantía de quince mil euros. Importe fijado mediante la referida Ley 9/2013 de 4 julio.

En tal modificación el Ministerio de Fomento incrementó el protagonismo que se concedía a las Juntas Arbitrales de Transporte, y la presunción de sometimiento a arbitraje de cualquier controversia en la materia tiene un nuevo tope cuantitativo, concretamente quince mil euros. Así queda recogido en el artículo 38. 1.º de la LOTT[37] que nació con finalidad de adaptar la normativa interna de este especial sector del transporte a los Reglamentos de la Unión Europea.

tales acciones se deriven de una actuación dolosa o con una infracción consciente y voluntaria del deber jurídico asumido que produzca daños que, sin ser directamente queridos, sean consecuencia necesaria de la acción, el plazo de prescripción será de dos años.

37. Artículo 38.1: Corresponde a las Juntas Arbitrales resolver, con los efectos previstos en la legislación general de arbitraje, las controversias de carácter mercantil surgidas en relación con el cumplimiento de los contratos de transporte terrestre cuando, de común acuerdo, sean sometidas a su conocimiento por las partes intervinientes u otras

En efecto, para que la presunción contenida en esta norma quede activada se requiere de dos condiciones: por un lado, que no exista oposición o manifestación en contrario de ninguna de las partes contractuales en el momento en el que se inicie la ejecución del transporte, y en segundo término, que la cuantía de la controversia no sobrepase la cantidad de quince mil euros. En cambio, para aquellos casos en los que la cuantía exceda de la cantidad de quince mil euros, es obligatorio el acuerdo de sumisión a arbitraje.

Parece pues, que una vez acontecido el hecho controvertido y ante la ausencia de convenio arbitral al respecto, ni manifestación en contrario anterior al inicio del transporte, el conocimiento del conflicto quedará sometido según establece el precepto a las Juntas Arbitrales de Transporte siempre y cuando la cuantía de la controversia no exceda de 15.000 euros, quedando un escaso margen de maniobra a la autonomía de la voluntad de las partes para someter el hecho litigioso al tribunal arbitral que consideren oportuno. Cuestión que cuanto menos suscita la duda de si bajo tal presunción el sometimiento es obligatorio tanto para los transportes de mercancías nacionales, como para los transportes internacionales, y en ese caso y para estos segundos, cabría llegar a plantearse si tal imposición no merma la seguridad jurídica, sobre todo cuando una de las partes contractuales fuera de nacionalidad extranjera. No obstante, la sumisión tácita en el arbitraje (independientemente de la existencia de acuerdo arbitral o de la cuantía del procedimiento), es válida siempre y cuando la parte demandada mediante procedimiento arbitral conteste a la demanda sin interponer declinatoria en los términos establecidos en nuestra Ley de Enjuiciamiento Civil. En este sentido, no hay que confundir la simple interposición de declinatoria, la contestación al fondo del asunto, y la interposición de declinatoria y subsidiariamente la contestación al fondo del asunto. A nuestro juicio, cabe subrayar que es la mera contestación al fondo del asunto la que activa la sumisión tácita a arbitraje. No pudiendo incardinarse dentro de la sumisión tácita aquella contestación en la que se interpone declinatoria y subsidiariamente se contesta al fondo del asunto.

personas que ostenten un interés legítimo en su cumplimiento. Asimismo, les corresponderá resolver, en idénticos términos a los anteriormente previstos, las controversias surgidas en relación con los demás contratos celebrados por empresas transportistas y de actividades auxiliares y complementarias del transporte cuyo objeto esté directamente relacionado con la prestación por cuenta ajena de los servicios y actividades que, conforme a lo previsto en la presente Ley, se encuentran comprendidos en el ámbito de su actuación empresarial. Se presumirá que existe el referido acuerdo de sometimiento al arbitraje de las Juntas siempre que la cuantía de la controversia no exceda de 15.000 euros y ninguna de las partes intervinientes en el contrato hubiera manifestado expresamente a la otra su voluntad en contra antes del momento en que se inició debiera haberse iniciado la realización del transporte o actividad contratado.

En este sentido, uno de los principales efectos del convenio o acuerdo arbitral es el denominado «efecto negativo», que supone sustraer del conocimiento del asunto objeto de la controversia a los tribunales de la jurisdicción ordinaria, sustracción verificada por obra de la voluntad de las partes de recurrir al arreglo arbitral[38]. Así, la parte interesada en que la controversia se suscite ante árbitro o tribunal arbitral es quién necesariamente deberá alegar la existencia del convenio arbitral (es decir, no se apreciara de oficio por los juzgados o tribunales la existencia de tal acuerdo arbitral, sino que debe alegarse a instancia de parte)[39].

La sentencia del Tribunal Superior de Justicia de Madrid de 11 de octubre de 2022[40] en la que se desestima una acción contra laudo pronunciado por la Junta Arbitral de Transporte de Madrid es fiel reflejo de la complejidad y especialidad del Derecho del transporte por carretera. Una sentencia que debemos valorar como acertada, pero en cierta manera desespecializada. Con la única excepción del voto particular emitido por uno de los magistrados de la Sala que permite abordar respetuosamente la especialidad del sector en el que la nace la controversia suscitada.

Como indicamos la referida STSJ de Madrid de 11 de octubre de 2022, desestima la acción de anulación de laudo dictado por la Junta Arbitral de Transporte de Madrid planteada por la condenada al abono de los daños y perjuicios ocasionados por la avería de la mercancía transportada (demandante ahora en el procedimiento jurisdiccional). El laudo combatido trae causa como advertimos una reclamación formulada por activación del sistema de responsabilidad del transportista frente al asegurado de la perjudicada. La demanda de nulidad planteada por la demandante sostiene como motivos de su impugnación la denuncia de las causales contempladas en los apartados a), c) y f) del artículo 41.1 de la Ley de Arbitraje, concretamente que el convenio arbitral no existe o no es válido, que los árbitros han decidido sobre materias no sometidas a su decisión, y que el laudo es contrario al orden público.

Respecto al primero de los motivos o causas, estima la demandante que no existe convenio arbitral expreso entre las partes según lo dictaminado por el artículo 38 de la LOTT puesto que entiende la Junta Arbitral debió

38. Así lo recoge expresamente González Campos, J. D., «Sobre el convenio de arbitraje en el Derecho internacional privado español», *Anuario de Derecho Internacional (Universidad de Navarra)*, vol. II, 1975, pp. 3-42.

39. Belintxon Martín, U., «Jurisdicción / arbitraje en el transporte de mercancías por carretera: ¿Comunitarización frente a internacionalización?», *op. cit.*, nota 5, pp. 707-743.

40. STSJ de Madrid de 11 de octubre de 2022, ECLI:ES: TSJM:2022:12407. CENDOJ.

aplicar lo dispuesto por la LNM y las Reglas de Haya Visby de 1924 para el transporte marítimo. Entiende la Sala de lo Civil y Penal del TSJ de Madrid que dicha causa debe decaer puesto que el Convenio Arbitral existe al presumirlo de lo dispuesto por la legislación sobre el transporte terrestre (artículo 38 LOTT) y la calificación jurídica efectuada sobre la tipología del contrato de transporte realizado por el Tribunal Arbitral no puede ser objeto de revisión mediante esta vía.

En cuanto al segundo de los motivos de nulidad esgrimidos por la demandante en relación a que los árbitros han decidido sobre cuestiones no sometidas a su decisión (artículo 41.1.c), entendiendo la demandante que no se tuvo en cuenta lo dispuesto por el artículo 277.2 de la LNM habiéndose aplicado por la Junta Arbitral el CMR a lo que consideró un transporte multimodal, una vez más la Sala interpreta que esta discrepancia es más propia de una apelación no estando permitida por el referido artículo 41 de la Ley de Arbitraje.

Finalmente, y en relación ya el tercero de los motivos, la infracción del orden público por la inaplicación de la LNM en fraude de ley y la activación de la responsabilidad del porteador según lo dispuesto por la normativa imperante en materia de transporte de mercancías por carretera, entiende la Sala que no puede darse por acreditada la existencia de la intención de defraudar por la Junta Arbitral mediante la utilización de normas inapropiadas.

Ante esta tesitura concluye la Sala en su sentencia que no concurre ninguna de las infracciones denunciadas a través de la demanda de nulidad articulada y rechaza la impugnación formulada en su integridad al carecer de un mínimo fundamento en derecho.

Expuesto lo que antecede, y siendo acertado el posicionamiento de desestimación de la acción planteada por el Tribunal, no es menos cierto que dicha resolución refleja cierta des-especialización en un sector y una materia jurídica altamente especializada. Salva, sin lugar a dudas este desacierto argumental, el nítido voto particular del Magistrado, el Ilmo. Sr. D. Jesús María Santo Vijande. Un voto particular en el que se aclaran de forma jurídicamente impecable extremos que debieran haberse aclarado desde un inicio en relación sobre todo a la especialidad y especialización del Derecho del transporte. El motivo principal de anulación no es otro que la pretensión de inexistencia de convenio arbitral, un convenio que existe por la presunción prevista en el artículo 38.1 de la LOTT en el que para las controversias en materia de transporte terrestre de mercancías por cuantía inferior a 15.000 euros se presumirá que existe acuerdo de sometimiento a arbitraje de las Juntas Arbitrales de transporte siempre y cuando ninguna de las partes intervinientes en el contrato hubieran manifestado su voluntad en contra tal y como hemos expuesto a lo largo de esta disertación. De ahí la importancia, para la decisión del caso, de determinar en qué momento o fase del transporte multimodal se produce el daño, pues, de ser durante el transporte propiamente marítimo, no habría convenio arbitral según la presunción expuesta.

Y es desde aquí donde el voto particular discrepa del resto de la Sala puesto que para la mayoría de la Sala la tónica presente en el análisis de los tres motivos antes expuestos es que la nulidad arbitral no es acción que permita, al modo de una apelación, la revisión completa del material de hecho y de derecho ya considerado por la Junta Arbitral. Sin embargo, el magistrado discrepante entiende correctamente apoyado en jurisprudencia constitucional consolidada, además de en doctrina científica consolidada (con expresa mención al Prof. Dr. José Carlos Fernández Rozas), que la Sala no puede limitarse a constatar una dispar valoración de la prueba entre el reclamante de nulidad y la efectuada por la Junta Arbitral para, en relación causal, excluir cualquier atisbo de nulidad, sino que el control jurisdiccional del laudo sí abarca el ejercicio del análisis de arbitrariedad de la resolución arbitral, pudiendo estimarse la acción de anulación basada en el orden público si el razonamiento del laudo es ilógico o absurdo, con errores groseros y patentes en la apreciación o calificación de los hechos así como las interpretaciones o valoraciones arbitrarias, irrazonables, ilógicas, absurdas o manifiestamente erróneas[41] (cuestión que por otra parte no aflora en este caso), de tal manera que si el órgano judicial no lo apreciase así, sería el propio Tribunal de Justicia quien vulnerase el derecho a la tutela judicial efectiva del artículo 24 de la Constitución. Es incuestionable, pues, a la luz de la doctrina expuesta que al Tribunal compete verificar si el laudo incurre en manifiesta arbitrariedad en la valoración de la prueba por contener razonamientos ilógicos y contradictorios que afloran por la desatención de normas imperativas, unimodales y/o Convenios internacionales especiales aplicables al sector determinado.

Desde luego, la verificación cabal de si existe o no convenio arbitral y sí éste es válido o no debe hacerse comprobando los extremos fácticos y jurídicos de los que dependan tal existencia y validez, cuestión que compete a la Sala, pues de no ser así, para el caso en el que los daños que han generado la avería en la mercancía transportada hubiesen aflorado en la fase marítima del trayecto la apreciación de la existencia de convenio arbitral sería abier-

41. STC 17/2021, de 15 de febrero de 2021, Fundamento jurídico 2. ECLI:ES:TC:2021:17.BOE.

tamente contraria al artículo 24.1 de la Constitución. Desde luego una materia puede ser arbitrable pese a que en su normativización u ordenación aparezcan normas inequívocamente imperativas, pero en contraposición también es indiscutible en materia de arbitrabilidad que el árbitro, Junta o Tribunal Arbitral deben aplicar las normas imperativas que regulen tales cuestiones o aspectos de la concreta materia de la que se trate, puesto que de no hacerse se estaría infringiendo el orden público y el laudo incurriría en causa de anulación.

Pero es que además esto es así, en este caso, puesto que de los documentos obrantes la Junta Arbitral considera acreditado que los daños se generan en un momento posterior a la fase marítima, una vez la mercancía está en el puerto de Valencia tras producirse el vaciado y en el camino hacia los almacenes para su depósito y espera de su traslado por vía carretera hasta Elche. Es decir, el trayecto del puerto a los almacenes, así como el trayecto desde Valencia a Elche es un transporte nacional para el transportista efectivo.

Así, expuesto lo anterior, cabe a su vez realizar varias precisiones de indudable importancia técnica que deben ser aclaradas, en primer lugar, la Sala reitera en varias ocasiones la aplicación del CMR de 1956 y el desplazamiento de la aplicación de la normativa marítima internacional imperante, y sin embargo, como acertadamente concluye el voto particular y la Junta Arbitral de transporte, la norma de aplicación a la activación del sistema de responsabilidad del transportista por la avería de la mercancía transportada y la activación del arbitraje ante la Junta Arbitral encuentra acomodo en la normas de origen interno españolas (LCTTM y LOTT) y no en el citado texto internacional.

En efecto, el CMR de 1956 según los hechos obrantes en la resolución referida no sería en ningún caso aplicable en este supuesto ya que el transporte de la mercancía se efectuó por vía marítima mediante contenedores[42] y, como es sabido, del artículo 2 del Convenio CMR se interpreta claramente que dicha norma internacional de carácter imperativo no es aplicable al transporte de contenedores[43] en el que intervienen modos distintos al de carretera[44]. El CMR regula los transportes por superposición de modos en

42. Entre otras, STS de 28 de septiembre de 2020, Fundamento de Derecho Tercero, sexto párrafo. ECLI:ES:TS: 2020:3026.
43. Emparanza Sobejano, A., «El transporte multimodal de contenedores y la dificultad de la determinación del régimen de la acción de reclamación de daños», *RDT. Revista de Derecho del Transporte*, núm. 28, 2021, pp. 13-32.
44. Messent, A. y Glass, D. A., *CMR: Contracts for the international carriage of goods by road*, 4.ª Edición, Londres, Informa Law from Routledge, 2018, pp. 57-59.

los que un vehículo por carretera sin ruptura de carga se carga sobre otro correspondiente a un modo distinto[45]. El propósito de este artículo 2.1 es integrador y con una clara finalidad[46], extender la aplicación del CMR a las operaciones de transporte en las que intervengan otros transportistas en otros modos[47], pero únicamente en el supuesto referido y con unos condicionantes muy claros en cuanto a la remisión al Convenio aplicable al otro modo[48]. De tal manera que, si el daño generado a la mercancía hubiese sido causado durante el transporte no realizado por carretera o habiendo sido causado por un hecho que no ha podido producirse más que durante y por razón del transporte no realizado por carretera, en tal caso la responsabilidad del transportista sería determinada por las normas imperantes para determinar la responsabilidad del transportista que no efectúa el transporte por carretera.

Desde luego, esta resolución es una muestra más de que deviene imprescindible para nuestro siglo una mayor especialización para el sector del Derecho del transporte internacional y nacional en general y del Derecho del transporte internacional y nacional por carretera en particular.

3. LA APLICACIÓN SUBSIDIARIA DEL RBI BIS PARA DETERMINAR LA COMPETENCIA JUDICIAL INTERNACIONAL EN LOS CONTRATOS INTERNACIONALES DE TRANSPORTE DE MERCANCÍAS POR CARRETERA Y LA APLICACIÓN PRIORITARIA DEL PROPIO RBI BIS PARA CONCRETAR LA COMPETENCIA JUDICIAL INTERNACIONAL EN LOS CONTRATOS DE TRANSPORTE DE VIAJEROS POR CARRETERA

Ante la inaplicación de la regla de la especialidad configurada en el artículo 71 del RBI bis según el criterio hermenéutico esgrimido por la STJUE TNT vs AXA de 4 de mayo de 2010[49] para los supuestos en los que un texto o Convenio internacional no garantice en su aplicación un alto grado de previsibilidad, facilite una buena administración de justicia, reduzca la activación de procedimientos paralelos y garantice la libre cir-

45. Clarke, M. A., *International carriage of goods by road: CMR*, 6.ª Edición, Londres, Informa Law from Routledge, 2014, pp. 33-35.
46. Emparanza Sobejano, A., «El art. 2 CMR: ¿un modelo de regulación de transporte multimodal?», en Eizaguirre (Dir.), *10 años de Derecho Marítimo Donostiarra*, Vitoria-Gasteiz, 2003, pp. 35 y ss.
47. Putzeys, J., *Le contrat de transport routier de marchandises*, *op. cit.*, nota 23, pp. 94-102.
48. Sánchez Gamborino, F. J., *El contrato de transporte internacional: CMR*, Madrid, Tecnos, 1996, pp. 59-61.
49. STJUE (Gran Sala) de 4 de mayo de 2010 (Asunto C-533/08), ECLI:EU:C:2010:243. http://curia.europa.eu

culación de las resoluciones y la confianza recíproca en el seno de la justicia de la Unión, o ante la ausencia de un Convenio internacional aplicable tanto para el contrato de transporte internacional de mercancías por carretera como para el contrato de transporte internacional de personas viajeras por carretera en materia de competencia judicial internacional en la UE, es preciso realizar mención al Reglamento 1215/2012 (RBI bis) sobre competencia judicial internacional[50], y analizar las normas de competencia jurisdiccional aplicables a ambas modalidades del transporte por carretera.

El RBI bis contiene entre sus preceptos, normas sobre competencia judicial internacional en materia de prestación de servicios, dentro de la sección 2 titulada como competencias especiales. En concreto, el artículo 7.1 queda divido en una regla general y dos vertientes contractuales específicas, por un lado, la compraventa de mercaderías, y por otro la nombrada prestación de servicios proyectable sobre los contratos de transporte por carretera en las citadas dos modalidades[51].

De esta manera, el artículo 7.1 del Reglamento dispone que [...] Una persona domiciliada en un Estado miembro podrá ser demandada en otro Estado miembro:1) a) en materia contractual, ante el órgano jurisdiccional del lugar en el que se haya cumplido o deba cumplirse la obligación que sirva de base a la demanda; b) a efectos de la presente disposición, y salvo pacto en contrario, dicho lugar será: —cuando se trate de una compraventa de mercaderías, el lugar del Estado miembro en el que, según el contrato, hayan sido o deban ser entregadas las mercaderías; —cuando se trate de una prestación de servicios, el lugar del Estado miembro en el que, según el contrato, hayan sido o deban ser prestados los servicios.

Dicho esto, nuestra reflexión se centrará precisamente en el segundo párrafo del artículo 7.1 b relativo a la prestación de servicios[52], un término amplio que deberá interpretarse de manera autónoma y que abarca los con-

50. Reglamento (UE) n.º 1215/2012 del Parlamento Europeo y del Consejo de 12 de diciembre de 2012 relativo a la competencia judicial, el reconocimiento y la ejecución de resoluciones judiciales en materia civil y mercantil. DOUE L 351/1 de 20 de diciembre de 2012.

51. En relación al artículo 5 del RBI (actual artículo 7 del RBI bis) puede verse las reflexiones de Virgós Soriano, M. y Garcimartín Alférez, F. J., *Derecho procesal civil internacional: Litigación internacional*, 2.º Edición, Cizur Menor, Aranzadi, 2007, pp. 141-158.

52. En relación al artículo 5.1.b del RBI sobre los contratos de prestación de servicios y su delimitación (actual artículo 7.1.b del RBI bis) véase, De Miguel Asensio, P. A., «El lugar de ejecución de los contratos de prestación de servicios como criterio atributivo de competencia», en Forner Delaygua, J., González Beilfuss, C. y Viñas Farré, R. (Coords.), *Entre Bruselas y la Haya: Estudios sobre la unificación internacional y regional del Derecho internacional privado. Liber Amicorum Alegría Borrás*, Madrid, Marcial Pons, 2013, pp. 291-307.

tratos que generan tanto obligaciones de medios como de resultado tal y como advertimos. Concepto en el que cabrá incluir el contrato de transporte por carretera, tal y como se puede inferir del pronunciamiento del TJUE en sentencia de 9 de julio de 2009, asunto.c-204/08 (Peter Rehder contra Air baltic)[53].

El valor doctrinal de la citada resolución radica en dos cuestiones de notable importancia. En primer lugar, identifica los servicios cuya prestación es necesaria para cumplir con las obligaciones de un contrato de transporte por carretera, y en segundo lugar, precisa de manera muy apropiada cuales deben identificarse como lugares de prestación principal de un servicio de transporte internacional (perfectamente extrapolable al sector del transporte por carretera).

Un pronunciamiento que alberga por un lado mediante su apartado 40 lo relativo a la identificación de los servicios cuya prestación es necesaria en materia de transporte de viajeros/personas al disponer que [...] Los servicios cuya prestación es necesaria para el cumplimiento de las obligaciones derivadas de un contrato de transporte aéreo de personas son, en efecto, el registro y el embarque de pasajeros así como la acogida de éstos a bordo del avión en el lugar de despegue pactado en el contrato de transporte, la salida del aparato a la hora prevista, el transporte de pasajeros y de sus equipajes desde el lugar de partida hasta el lugar de llegada, la atención a los pasajeros durante el vuelo y, finalmente, el desembarque de éstos en condiciones de seguridad en el lugar de aterrizaje y a la hora convenida en el citado contrato. Desde este punto de vista, las posibles escalas del aparato tampoco presentan un vínculo suficiente con los servicios esenciales derivados del citado contrato.

Por otro lado, y en relación al significado del lugar del Estado miembro en el que, según el contrato, hayan sido o deban ser prestados los servicios, el tribunal facilita una interpretación integradora del término prestación característica al determinar mediante sus apartados 41, 43 y 44 lo siguiente: [...] Pues bien, los únicos lugares que presentan un vínculo directo con los citados servicios prestados en cumplimiento de las obligaciones derivadas del objeto del contrato son los de partida y llegada del avión, debiendo precisarse que los términos «lugares de partida y de llegada» son los convenidos en el contrato de transporte celebrado con una única compañía aérea que es el transportista efectivo.[...]En tales circunstancias, debe considerarse, por la misma razón, que tanto el lugar de salida como el lugar de llegada del avión son los lugares de prestación principal de los servicios

53. STJUE de 9 de julio de 2009 (TJCE 2009, 219). ECLI:EU:C:2009:439. Recuperado de *Westlaw Aranzadi.*

que son objeto de un contrato de transporte aéreo. [...] Cada uno de estos dos lugares presenta un vínculo suficiente de proximidad con los elementos materiales del litigio y, por lo tanto, determina la conexión estrecha que pretenden establecer las reglas de competencia especial contenidas en el artículo 5, punto 1, del Reglamento núm. 44/2001 (LCEur 2001, 84), entre el contrato y el órgano jurisdiccional competente. Por lo tanto, el demandante que solicita una compensación basada en el Reglamento núm. 261/2004 (LCEur 2004, 637) puede ejercitar su acción contra el demandado, a su elección, ante el tribunal en cuya jurisdicción se halle uno de dichos lugares, con arreglo al artículo 5, punto 1, letra b), segundo guion, del Reglamento núm. 44/2001.

En efecto, tal y como señalamos, ante una controversia en materia de transporte internacional por carretera, siempre y cuando se cumplan los requisitos de aplicación del RBI bis, la parte demandante podrá interponer acción ante el tribunal del lugar del Estado miembro en el que, según el contrato, hayan o deban ser prestados los servicios de transporte. Es decir, el demandante podrá interponer la acción ante el lugar de origen o el lugar de destino del transporte internacional por carretera, sin descuidar, la confluencia característica de dichos foros especiales por razón de la materia y el foro general del domicilio del demandado que también podrá ser escogido por el actor[54].

La justificación del foro general advertido radica en la garantía que ofrece para los derechos de defensa del demandado y la efectividad de la futura resolución judicial. Junto al referido foro general el RBI bis establece tal y como adelantamos una serie de foros alternativos, a elección del demandante, configurados como foros de ataque, al abrir posibilidades suplementarias por razón de la materia al actor en atención a criterios inherentes a cada relación contractual controvertida y conforme a factores de proximidad al objeto litigioso (los mencionados lugares de origen y destino del transporte internacional)[55]. Sin duda, una combinación de criterios de características personales y territoriales, recurriendo a principios de atribución neutros, junto a técnicas de protección de la parte más débil de la relación contractual, situación que, en el sector del transporte por carretera, sobre todo en el de personas viajeras, en muchas ocasiones no es sencilla de determinar.

54. En este sentido, Iriarte Ángel, J. L., *El contrato de embarque internacional*, Madrid, Beramar S. L., 1993, pp. 100 y ss.; Véanse también los artículos 4.1 y 5.1 del RBI bis (artículos 2.1 y 3.1 del antiguo RBI).
55. Álvarez Rubio, J. J., *Derecho Marítimo y Derecho Internacional Privado: algunos problemas básicos*, Servicio de publicaciones del Gobierno Vasco, 2000, pp. 53-55.

Queda así descartada la aplicación de los foros de competencia judicial internacional denominados de protección contenidos en los artículos 17 a 19 del RBI bis, relativos a la competencia en materia de contratos celebrados por los consumidores, para los contratos de transporte de viajeros por carretera tal y como consta de forma expresa en el artículo 17.3[56]. Un articulo 17.3 que viene a disponer que: [...] 3. La presente sección no se aplicará al contrato de transporte, salvo el caso de los que, por un precio global, ofrecen una combinación de viaje y alojamiento.

En efecto, la única excepción que se contempla en dicho precepto es la del viaje combinado, es decir aquellos casos en los que se ofrece una combinación de transporte y alojamiento mediante un precio unitario[57]. En tal caso serían de aplicación los foros de protección contenidos en el artículo 18. Esto, desde luego, no obsta para que el viajero o pasajero que contrata un transporte para un uso que pueda considerarse ajeno a su actividad profesional sea considerado como consumidor según la definición recogida en el propio artículo 17.1 del RBI bis[58].

56. Puede verse en similares términos lo dispuesto sobre el contrato de transporte aéreo de pasajeros por Hernández Rodríguez, A., «El contrato de transporte aéreo de pasajeros: algunas cuestiones sobre competencia judicial internacional y derecho aplicable», *CDT*, vol. 3, marzo 2011, núm. 1, pp. 179-194.

57. En este sentido entre otros puede verse las referencias a la competencia judicial internacional y ley aplicable realizadas sobre el contrato de transporte por Calvo Caravaca, A. L. y Carrascosa González, J., «Contratos Internacionales II: Algunos contratos», *Derecho internacional privado*, 15.ª Edición, Editorial Comares, 2014, pp. 921-926; Fernández Rozas, J. C. y Sánchez Lorenzo, S., «Obligaciones», *Derecho internacional privado*, Cizur Menor, Civitas-Thomson Reuters, 7.ª Edición, 2013, pp. 543-549.

58. Artículo 17.1 RBI bis: «En materia de contratos celebrados por una persona, el consumidor, para un uso que pueda considerarse ajeno a su actividad profesional, la competencia quedará determinada por la presente sección, sin perjuicio de lo dispuesto en el artículo 6 y en el artículo 7, punto 5 [...]».

Capítulo 4

El Reglamento (UE) 2020/1055 de 15 de julio de 2020, su configuración jurídica y su proyección sobre los transportes de cabotaje por carretera entre la UE y el Reino Unido en 2024: ¿modelo del siglo XXI o del siglo XIX?

SUMARIO: 1. RESPECTO AL REGLAMENTO (CE) 1071/2009. BREVES NOTAS. 2. EN CUANTO A LOS CONOCIDOS REGLAMENTOS (CE) 1072 Y 1073 DEL AÑO 2009: ALGUNA OBSERVACIÓN. 3. LA CONFIGURACIÓN DEL TRANSPORTE DE CABOTAJE POR CARRETERA ENTRE LA UE Y EL REINO UNIDO TRAS EL BREXIT.

1. RESPECTO AL REGLAMENTO (CE) 1071/2009. BREVES NOTAS

El Reglamento (CE) 1071/2009[1] nace con la clara finalidad de establecer unas condiciones mínimas de acceso a la profesión de transportista por carretera, el reconocimiento mutuo entre los Estados miembros de los títulos habilitantes, y la necesidad de evitar el intrusismo en la profesión y racionalizar el mercado.

1. Reglamento (CE) n.º 1071/2009 del Parlamento Europeo y del Consejo de 21 de octubre de 2009 por el que se establecen las normas comunes relativas a las condiciones que han de cumplirse para el ejercicio de la profesión de transportista por carretera y por el que se deroga la Directiva 96/26/CE del Consejo. DOUE L 376/36 de 27 de diciembre de 2006.

No obstante, como venimos advirtiendo despierta llamativamente la atención[2] que las condiciones impuestas cumulativamente por los Reglamentos (CE) 1071/2009, 1072/2009[3] y 1073/2009[4] para el acceso y la libre prestación de servicios en el seno de la Unión Europea al transportista profesional, pivoten sobre la obtención por un lado de autorización habilitante para el ejercicio de la profesión de transportista[5], y por otro, el de una licencia comunitaria única tras el cumplimiento de una serie de requisitos preestablecidos en los propios Reglamentos, para posteriormente limitar el acceso de una transportista residente en un Estado miembro con licencia comunitaria única habilitada para ejecutar servicios internacionales de cabotaje en otro Estado miembro, a un número delimitado de servicios o expediciones máximas.

Desde luego, ante tales manifiestas incongruencias jurídico-normativas cabía pensar que las instituciones europeas y la legisladora y el legislador de la UE tomarían buena cuenta de ello para mediante una futura modificación de tales normas modernizar definitivamente la profesión de transportista, tal y como reclama el Reglamento (CE) 1071 /2009, y rectificar la incongruente normativa. Sin embargo, el Reglamento (UE) 2020/1055 que modifica los Reglamentos del año 2009 no sólo mantiene la esencia de un proceso modernizador con condicionantes limitativos de las ejecuciones de los servicios realizables en la modalidad de transporte de cabotaje[6], incompatible, y por ende contradictorio con la libre prestación de servicios, la liberalización del sector y una mercado interior sin barreras nacionales[7],

2. Belintxon Martín, U., «La confluencia de los distintos bloques normativos aplicables en materia de transporte internacional por carretera: divergencias y efecto distorsionador», en Petit Lavall, M. V., Martínez Sanz, F. y Recalde Castells, A., (Dirs.), *La nueva ordenación del mercado de transporte,* Madrid, Marcial Pons, 2013, pp. 15-20.
3. Reglamento (CE) n.º 1072/2009 del Parlamento Europeo y del Consejo de 21 de octubre de 2009 por el que se establecen normas comunes de acceso al mercado del transporte internacional de mercancías por carretera. DOUE L 300/72 de 14 de noviembre de 2009.
4. Reglamento (CE) n.º 1073/2009 del Parlamento Europeo y del Consejo de 21 de octubre de 2009 por el que se establecen normas comunes de acceso al mercado internacional de los servicios de autocares y autobuses y por el que se modifica el reglamento (CE) n.º 561/2006. DOUE L 300/88 de 14 de noviembre de 2009.
5. Puede verse a Belintxon Martín, U., «El dilema en el conflicto del Taxi y el VTC: ¿La desregulación?», *Bitácora Millennium DIPr: Derecho internacional privado,* núm. 9, 2019, pp. 1-13.
6. Véase Llorente Gómez de Segura, C., «Contratos internacionales. El contrato de transporte. Introducción. Cuestiones generales de Derecho internacional privado», *Derecho del Comercio Internacional,* Madrid, Colex, 2012, pp. 913-915.
7. Entre otros, Ordoñez Solís, D., «La liberalización y el servicio público del transporte por carretera en la Unión Europea», *Noticias de la Unión Europea,* núm. 216, 2003, pp. 75-92.

sino que además incorpora mayores restricciones y condicionantes limitativos para la ejecución de los servicios de cabotaje por parte de transportistas establecidos en la Unión Europea pero no en el Estado de acogida del servicio a prestar.

El sistema de obtención de la autorización de transportista[8], y por consiguiente la obtención de la licencia comunitaria única, quedaba supeditada en el Reglamento (CE) 1071/2009 al cumplimiento de una serie de requisitos exigidos mediante su artículo 3, destacándose la profesionalidad de la persona transportista de mercancías y viajeros por carretera. Concretamente se venía a requerir un establecimiento efectivo y fijo en un Estado miembro, ostentar una honorabilidad intacta en el sentido de no haber sido condenado/a ni sancionado/a por la comisión de hecho delictivo o infracción relacionada con materias de Derecho mercantil, Derecho fiscal, tráfico, responsabilidad profesional o infracciones graves según el Derecho europeo del transporte vigente. Infracciones que quedan al arbitrio para su imposición y modulación de cada Estado miembro de la UE.

Un artículo 3 que se ve reforzado por el artículo 5 del mismo texto legal que viene a establecer condiciones respecto del requisito de establecimiento. De la redacción originaria de este precepto del citado Reglamento (CE) 1071/2009 era de destacar su letra b), que regulaba la necesidad de disponer de uno o más vehículos en propiedad, arrendamiento o *leasing* una vez concedida la autorización habilitante y matriculados en el Estado miembro del Establecimiento de la empresa. Es decir, que, si una empresa transportista tenía ubicado su establecimiento en España, los vehículos utilizados para efectuar transportes internacionales y/o de cabotaje de mercancías y personas viajeras por carretera debían estar matriculados en el citado país.

Una redacción originaria limitativa, restrictiva o cuanto menos contradictoria con la obligación de tener que ostentar una licencia comunitaria única para efectuar transportes internacionales, nacionales y de cabotaje en todo territorio común, puesto que la expedición por el ministerio de fomento del país de establecimiento de la empresa porteadora de dicha licencia comunitaria y única en vigor debiera ser suficiente para acceder sin limitación alguna a los mercados de transporte internacional de todos los Estados miembros de la UE sin discriminación por razón del lugar de establecimiento o de la nacionalidad.

8. En relación a la autorización del transporte puede verse Laguna de Paz, J. C., «Las autorizaciones administrativas en el transporte terrestre», en Menéndez, P. (Dir.), *Régimen Jurídico del Transporte Terrestre: Carreteras y Ferrocarril*, Tomo I, Cizur Menor, Aranzadi, 2014, pp. 591-634.

El nuevo Reglamento (UE) 2020/1055 mantiene lo exigido por los artículos 3 y 5 de la legislación modificada e introduce una modificación sustancial en el antiguo artículo 7 para incluir de forma más precisa la obligación de la empresa transportista de demostrar sobre la base de sus cuentas anuales, aprobadas por auditor o una persona debidamente acreditada, que dispone, para cada año, de capital y reservas por un importe total mínimo de 9000 euros cuando la empresa transportista ostente un único vehículo, y de 5000 euros más por cada vehículo adicional utilizado tornándose el depósito de cuentas anuales clave[9] para la inspección, el control, y el mantenimiento de la solvencia y de los títulos habilitantes de la empresa transportista[10].

Cuestión que no deja de ser llamativa, o cuanto menos controvertida, puesto que la norma europea preceptivamente proyectada sobre el artículo 46 de la LOTT[11] impone una cuantificación a destinar obligatoriamente en capital social más reservas, dependiendo del número de vehículos (camiones o autobuses), que tenga la empresa a su disposición para ejecutar transportes de mercancías o personas viajeras por carretera independientemente de que sean destinados al transporte internacional, de cabotaje o al transporte nacional. Desde luego, esta exigencia de capacidad financiera en base a la cuantificación expuesta merma de manera clara la seguridad jurídica, quedando el operador empresarial abocado a los devenires del mercado en cuanto a la pérdida de su autorización de transportista profesional y de su licencia comunitaria (sin la cual no existe la posibilidad de ejecutar transportes internacionales y de cabotaje).

Es decir, ante una situación de crisis económica como la actual derivada de una crisis sanitario-pandémica (Covid-19), el repunte de contagios, la gripe A y la inestabilidad política mundial con conflictos armados de carácter internacional abiertos en regiones distintas (Ucrania y Gaza), donde la volatilidad de los márgenes en la oferta y la demanda del mercado de transporte son imprevisibles (téngase como referente la subida de los precios en materias básicas, primas, combustibles, grano, conflictos en las rutas marítimas, ataques a las rutas terrestres y marítimas etc.), las empresas trans-

9. En este sentido véase Lara González, R., *El depósito de cuentas anuales. Causas controvertidas de calificación registral*, Cizur Menor, Thomson Reuters Aranzadi, 2019, pp. 23-34.
10. A cerca de la inspección y el control de la Administración en el transporte, Aguado I Cudolà, V., «Las potestades de inspección y sanción en materia de transporte: garantizar el cumplimiento de la legislación, asegurar el buen funcionamiento del sistema», en Menéndez, P. (Dir.), Régimen Jurídico del Transporte Terrestre: Carreteras y Ferrocarril, Tomo II, Cizur Menor, Aranzadi, 2014, pp. 237-287.
11. BOE de 31 de julio de 1987.

portistas se pueden encontrar con que no pueden continuar con el desarrollo de su actividad si les es exigible que el resultado de la suma del capital social y reservas sea un importe determinado en virtud del número de vehículos que dispone la empresa. Y esto lleva sin mutar positivamente, ni evolucionar, desde la norma originaria de hace más de 14 años sobre la que hemos reflexionado en trabajos anteriores y que nuevamente debemos analizar críticamente debido al actual exponente en vigor.

En efecto, un régimen realmente llamativo el contenido en las citadas normas puesto que es mucho más exhaustivo que el establecido para el resto de actividades comerciales. En efecto, en aplicación de lo dispuesto sobre las causas de disolución de la Sociedad por los epígrafes E y F del artículo 363 de la Ley de Sociedades de Capital, ésta deberá disolverse por pérdidas que dejen reducido el patrimonio neto a una cantidad inferior a la mitad del capital social, a no ser que éste se aumente o se reduzca en la medida suficiente, y siempre que no proceda declarar concurso de acreedores, o en su caso, por la reducción del capital social por debajo del mínimo legal que no sea consecuencia del cumplimiento de una Ley.

En esencia, como puede observarse, la norma europea establece la pérdida de la autorización habilitante y de la licencia comunitaria de una empresa de transporte por carretera (y por lo tanto el cese de su actividad comercial), en contra de lo normativizado por la Ley de Sociedades de Capital. No debe obviarse que para la constitución de una Sociedad Limitada se exige un mínimo de capital social de 3000 euros, pudiendo con ese mínimo desarrollar su actividad comercial. Por lo tanto, lo exigido por la norma europea excede de la mencionada cuantificación y es contrario a lo regulado por el mencionado artículo 363 para la disolución de la Sociedad. Téngase en cuenta que el cese de la actividad comercial por la pérdida de la autorización de transportista profesional y la licencia comunitaria según los términos del artículo 7 del Reglamento europeo supondría de facto el cese de la actividad puesto que no es posible materializar servicios de transporte por carretera ni nacionales, ni de cabotaje, ni internacionales sin autorización[12].

Y desde luego, sigue siendo totalmente incongruente que la autoridad administrativa competente para retirar la autorización habilitante —tarjeta de transporte— y la licencia comunitaria (Ministerio de Fomento, Conseje-

12. Así, pueden verse las reflexiones de Belintxon Martín, U., «La efectiva liberalización del sector del transporte por carretera en la UE y el acceso a la profesión de transportistas: ¿licencia comunitaria única?», en Puetz, A. (Coord.) y Petit Lavall, M. V. (Dir.), *La eficiencia del transporte como objetivo de la actuación de los poderes públicos: liberalización y responsabilidad*, Madrid, Marcial Pons, 2015, pp. 241-255.

rías de transportes de las Comunidades Autónomas, o Servicios de Inspección de las Diputaciones Forales), sea el órgano indicado para valorar si una empresa transportista que ha activado por ejemplo un procedimiento concursal, posee o no capacidad para lograr un saneamiento financiero, teniendo además en cuenta que la incoación de un procedimiento concursal no necesariamente queda abocado al cierre, desmantelamiento y cese de la actividad[13].

Una condiciones exhaustivas respecto al requisito de establecimiento que reciben su puntilla final al normativizar en el artículo 5.1.b del nuevo Reglamento la necesidad, mejor dicho la obligatoriedad, de organizar por parte de la empresa transportista la actividad de su flota de vehículos de tal forma que se garantice que los vehículos que están a disposición de la empresa y son utilizados en el transporte internacional regresan a uno de los centros de operaciones ubicados en el Estado miembro de establecimiento al menos en un plazo de ocho semanas desde que salió de él.

2. EN CUANTO A LOS CONOCIDOS REGLAMENTOS (CE) 1072 Y 1073 DEL AÑO 2009: ALGUNA OBSERVACIÓN

Los Reglamentos (CE) 1072 y 1073 del paquete de transporte del año 2009 dedicados respectivamente al transporte de mercancías y personas viajeras por carretera que reciben una modificación parcial por el referido Reglamento (UE) 2020/1055 de 15 de julio de 2020, además de ser normas de ordenación[14] del sector vienen, como ya hemos subrayado con anterioridad en alguna ocasión, a normativizar el transporte de cabotaje[15]. Es decir, aquellos transportes internos por cuenta ajena llevados a cabo con carácter temporal en un Estado miembro de acogida —en el sentido de un Estado miembro en el que opera una entidad o empresa transportista—, distinto del Estado miembro de establecimiento de la citada entidad o empresa transportista.

La realización de esta tipología de servicios en territorio de la Unión requiere en la actualidad cumulativamente de la consumación de diversas

13. En este sentido la Audiencia Provincial de Almería en su sentencia n.º 56/2013 de 8 de marzo se posiciona claramente (JUR 2013, 197830).
14. En este sentido véanse Agoués Mendizabal, C., «La intervención administrativa en el transporte por carretera», *RDT*, núm. 7, 2011, pp. 51-92; Agoués Mendizabal, C., «El marco europeo de la tasa por infraestructura en el transporte de mercancías», *Revista de derecho del transporte: Terrestre, marítimo, aéreo y multimodal*, núm. 22, 2018, pp. 13-40.
15. En relación a la incidencia de la intervención administrativa en el comercio, González García, J., «Notas sobre la intervención administrativa sobre el comercio de servicios a partir de la Directiva Bolkestein», en González García, J. (Dir.), *Derecho de la regulación económica*, Madrid, Iustel, 2009, pp. 569-596.

limitaciones o condicionantes impuestos a la autonomía de la voluntad de las partes del contrato, la obtención de un título habilitante o una licencia comunitaria única, así como del sometimiento a ciertos contingentes y limitaciones de carácter temporal en la ejecución de la prestación.

No obstante, el núcleo principal, lo esencial de la previsión de estos instrumentos europeos, Reglamentos (CE) 1072 y 1073, radica en las normas con orientación conflictual que acogen sus artículos 9 y 16 respectivamente[16] y que vienen a establecer la imperativa aplicación del Derecho del Estado miembro de acogida a la regulación de las condiciones contractuales de los transportes de cabotaje[17].

El nuevo Reglamento (UE) 2020/1055, mantiene íntegramente la regulación y el contenido de estas normas de conflicto de aplicación imperativa del Estado miembro europeo de acogida del servicio de transporte de cabotaje de mercancías, o personas viajeras[18], y perfila y potencia todas y cada una de las obligaciones y restricciones cuantitativas y temporales a su desarrollo. En esencia, se sigue requiriendo un transporte internacional previo de entrada en el Estado de acogida y se mantiene la limitación de tres transportes máximos en el plazo de una semana tras la cual se debe salir del Estado de acogida, y además incorpora otras nuevas de carácter cuantitativo y temporal. En efecto, una vez fuera del Estado de acogida debe el vehículo utilizado en el citado transporte de cabotaje permanecer 4 días sin poder volver a entrar, mediante el preceptivo transporte internacional previo, en el mismo Estado de acogida (cuestión que como puede apreciarse afecta tanto a la potencial ejecución de servicios de transporte internacionales y de cabotaje con lugar de origen y/o destino en el mencionado Estado de acogida). Una nueva reglamentación que refleja indubitadamente que ni los Estados miembros de la UE, ni las instituciones europeas abogan por la total liberalización del sector del transporte[19], ni por la consolidación de

16. Llorente Gómez de Segura, C., «La ley aplicable al contrato de transporte internacional según el Reglamento Roma I», *CDT*, vol. 1, núm. 2, 2009, pp. 162-166.

17. En este sentido, Belintxon Martín, U., «La calificación del transporte de cabotaje como transporte internacional en el Derecho del transporte por carretera: el elemento de internacionalidad», *RDT: Revista de Derecho del Transporte,* núm. 16, 2015. pp. 142-164.

18. Sobre este particular véanse las reflexiones de Basedow, J., «Zulassigkeit und Vertragsstatut der Kabotagentransporte. Zum Verhaltnis von Marktoffnung und Wirtschaftkollisionstrecht in der Europaischen Gemeinschaft», *ZHR*, vol. 156, 1992, pp. 413-442.

19. Sobre la necesaria y progresiva liberalización de la prestación de servicios de transporte por carretera y ferroviario: Fernández Farreres, G. *Los transportes por carretera y competencia: Transportes y Competencia,* Madrid, Thomson-Civitas, 2004, pp. 423-ss.; Valcárcel Fernández, P., «Transporte terrestre de mercancías y viajeros por carretera», *Derecho de la Regulación Económica: VI. Transportes*, 1.ª edición, Madrid, Iustel, 2009, pp. 81-ss.

la libre prestación de servicios de transporte como pieza esencial de una Política Común de Transportes que es en la actualidad[20], con todos los respetos, la menos Común de todas la Políticas diseñadas por la Unión[21].

El exhaustivo régimen de contingentes y temporalidad diseñado responde a las demandas y denuncias de un primer bloque de países (Alemania, Francia, España, Países Bajos e Italia) enfrentados por los precios de porte con algunos países del Este de la Unión (en especial Bulgaria, Rumanía, Hungría, Lituania, Polonia, Chipre, Letonia, Estonia y Malta) debido a que este segundo grupo conseguía sacar cierta rentabilidad al ofertar servicios de transporte fronterizos más baratos que el primer grupo como consecuencia de las diferencias sustanciales en el nivel de vida y salarios existentes en los distintos Estados parte de la Unión Europea.

En efecto, el primer grupo de Estados, molestos, contrariados por la nueva realidad europea y presionados por unas empresas porteadores y transportistas autóctonas que perdían capacidad de negocio ante la oferta de portes más competitivos por empresas de Estados del Este de la Unión, se embarcaron en una cruzada sin precedentes (principalmente Francia y Alemania) calificando para los transportes de cabotaje el cobro de salarios inferiores a los dispuestos por los convenios colectivos de aplicación en el sector en Francia y Alemania y la articulación de los tiempos de descanso en los vehículos habilitados con literas al efecto como contrarios a la dignidad humana y, por lo tanto, perseguibles tanto administrativa como penalmente por sus autoridades[22].

Un conflicto abierto intencionadamente por estos dos importantes Estados del proyecto europeo que amilana a las instituciones de la Unión, desnortadas ya por la dureza de un Brexit que nada aporta a la nueva realidad geopolítica mundial[23], y las hace dudar a la hora de afrontar este nuevo reto

20. En relación a ello, Belintxon Martín, U., *La necesaria adecuación de la legislación vasca del transporte a la dimensión transfronteriza*, Cizur Menor, Aranzadi-Thomson Reuters, 2018, pp. 130-146.

21. Belintxon Martín, U., «La inaplicación del Reglamento Roma I para la determinación de la ley aplicable a los contratos de transporte de cabotaje en la UE», *V Seminario AEPDIRI sobre Temas de actualidad de Derecho Internacional Privado. Nuevos escenarios del Derecho Internacional Privado de la Contratación*, Oviedo 24/09/2020 – 24/09/2020.

22. Entre las reflexiones de la doctrina francesa puede verse a Robaczewski, C., *Le risque pénal en Droit du transsport; L´application du droit pénal du travail dans l´entreprise de transport*, Bruselas, Larcier, 2012, pp. 287-303.

23. Sobre esta cuestión en particular, véase Moya Izquierdo, S., García Fernández, C. y Troncoso Ferrer, M., «El posible impacto del Brexit en los contratos internacionales de ámbito europeo», *Revista Aranzadi Unión Europea*, 2016, núm. 12.

y la obligada mutación hacia una integración plena[24] en una sociedad de naciones (llámese los Estados Unidos de Europa)[25], permitiendo al mirar para otro lado una sutil pero progresiva liquidación o dilución de ésta amparada en el mantenimiento de las diferencias socio-económicas y culturales que junto a la inacaba materialización de la apertura y la supresión de las barreras interiores en el mercado único, acrecienta las diferencias entre Estados, empresas y personas y la existencia de dos Europas dentro de la propia UE, de primera y segunda categoría, creando inercias, que no sinergias, y protectorados nacionales internos (un coto cerrado) a golpe de legislar sin mesura bordeando, cuando no claramente contraviniendo, la legalidad europea y manteniendo un rancio, por entumecido, afán de protagonismo que conlleva en su derivada más alarmante el afloramiento de un nacionalismo jurídico inaceptable en pleno albor del siglo XXI y en una sociedad de naciones que en teoría se rige por el imperio de la ley y de los Derechos Humanos[26].

Eso sí, nacionalismo jurídico interesado, puesto que tanto Alemania como Italia, países del primer bloque de Estados miembro de la UE que exigían de las instituciones europeas un régimen de contingentes y temporalidad más estricto, bien se han apresurado de forma calculada para con anterioridad a la promulgación del citado paquete de julio de 2020 requerir del Parlamento Europeo y del consejo la Decisión (UE) 2020/853 del Parlamento Europeo y del Consejo que faculta a Alemania para modificar su acuerdo bilateral de transporte por carretera con Suiza, con el fin de autorizar las operaciones de cabotaje durante la prestación de servicios de transporte internacional de viajeros por carretera en autocar y autobús en las regiones fronterizas entre ambos países, y la Decisión (UE) 2020/854 del Parlamento Europeo y del Consejo de 18 de junio de 2020 por la que se faculta a Italia para negociar y celebrar un acuerdo con Suiza que autorice las operaciones de cabotaje durante la prestación de servicios de transporte internacional de viajeros por carretera en autocar y autobús en las regiones fronterizas entre ambos países.

24. Entre otros, De Miguel Asensio, P. A., «Integración Europea y Derecho Internacional Privado», *RDCE*, vol. 2, 1997, pp. 413-445.
25. En relación a ello pueden verse las reflexiones vertidas por Gondra Romero, J. M., «Integración económica e integración jurídica en el marco de la Comunidad Económica Europea», en García De Enterría, E., González Campos J. D. y Muñoz Machado S., (Dirs.), *Tratado de Derecho comunitario europeo*, vol. I, Madrid, Civitas, 1986, pp. 275-312.
26. *Vid.* Artículo 280 de la LOI n.º 2015-990 du 6 août 2015 pour la croissance, l'activité et l'égalité des chances économiques. Journal Officiel de la République Française, 07/08/2015, Texte 1 sur 115, www.legifrance.gouv.fr

Claro está, en aplicación de los criterios nivel de vida y salarios existentes, es decir, los tenidos en consideración por las empresas transportistas para poder ofertar un precio de porte inferior a la competencia en la materialización de transportes de cabotaje e internacionales con lugar de origen y/o destino en un Estado de acogida, es evidente que tanto a Alemania como a Italia les interesa la articulación de estos acuerdos bilaterales con Suiza puesto que los citados dos criterios son superiores en esta última y esto beneficia a las empresas transportistas italianas y alemanas que a un menor precio de porte pueden competir con los transportistas autóctonos suizos y hacerse con una parte de los servicios si los usuarios del transporte priorizan dicha ventaja competitiva con incidencia en el precio final del transporte.

Por si fuera poco lo expuesto, ya advertimos en una reflexión anterior que la Directiva UE/2018/957[27] seguía la estela de su antecesora, la Directiva 96/71/CE[28], y mantuvo la exclusión de los servicios de transporte por carretera de su regulación[29]. El considerando 15 de la citada Directiva de 2018 así lo positivizaba justificando tal exclusión sobre el argumento de la elevada movilidad del trabajo en el transporte internacional por carretera. La legisladora y/o el legislador europeo quisieron reseñar así los importantes problemas jurídicos e intereses contrapuestos jurídico-económicos que este importante sector planteaba. Eso sí, sin concretar expresamente los motivos y relegando tal tarea normativizadora sobre el futuro paquete de movilidad y de transporte por carretera que viniese a modificar el del año 2009. En aquella reflexión nos aventuramos a interpretar que el potencial motivo de exclusión de esta materia tenía su razón de ser en los problemas y las dificultades para delimitar los conceptos de desplazamiento y personas trabajadoras desplazadas[30].

De otro lado, la lectura sosegada del considerando número 10 de la propia norma de 2018 nos permitió entrever otro potencial motivo para la referida exclusión, cual era que el sector del transporte es un sector asiduo a

27. Directiva (UE) 2018/957 del Parlamento Europeo y del Consejo de 28 de junio de 2018 que modifica la Directiva 96/71/CE sobre el desplazamiento de trabajadores efectuado en el marco de una prestación de servicios. DOUE L 173/16 de 9 de julio de 2018.

28. Directiva 96/71/CE del Parlamento Europeo y del Consejo de 16 de diciembre de 1996 sobre el desplazamiento de trabajadores efectuado en el marco de una prestación de servicios. DOUE L 18/1 de 21 de enero de 1997.

29. Acerca de los mecanismos de protección de los trabajadores desplazados véanse las reflexiones de Vaquero López, M. C., «Mecanismos de Derecho Internacional Privado Europeo para la protección de los trabajadores en supuestos de deslocalización de empresas», *Anuario Español de Derecho Internacional Privado*, núm. 17, 2017, pp. 425-471.

30. Sobre esta cuestión véase, Belintxon Martín, U., «Prevención de riesgos laborales, transporte y derecho europeo: distorsiones de la realidad práctica», *La Ley Unión Europea*, núm. 73, 2019, pp. 1-19.

soportar restricciones a la libre prestación de servicios justificadas por razones de interés general, siempre y cuando sean proporcionadas y necesarias. Téngase en cuenta, como ya comentamos, que la actividad de transportar es indispensable para poder satisfacer las necesidades básicas de la vida personal o social de las personas de acuerdo con las circunstancias sociales de cada momento y lugar[31].

No obstante, nos planteó un mar de dudas que tras regular dicha exclusión el considerando 17 de la misma Directiva recogiese una expresa referencia a la competencia exclusiva de los Estados miembros de la UE para fijar normas sobre remuneración de conformidad con sus legislaciones nacionales. Sin duda, el citado considerando normativizaba que la fijación de los salarios es competencia de carácter exclusivo de los Estados parte de la Unión y nos permitió entrever un anticipo de lo que posteriormente se proyectaría sobre las normas que conformasen el nuevo paquete de movilidad y transporte, representado para esta cuestión por la nueva Directiva (UE) 2020/1057 del Parlamento y del Consejo de 15 de julio de 2020 ya en vigor y para cuya transposición se facilita un plazo de adopción a los Estados miembros ya vencido. Desgraciadamente esta Directiva no articula como propusimos anteriormente un salario mínimo interprofesional europeo para el sector[32], sino que más bien responde a los deseos de Francia y Alemania de armonizar a nivel de la UE la aplicación de los salarios mínimos en vigor para el sector del transporte por carretera en cada Estado miembro, y según su legislación nacional, a las personas conductoras de empresas transportistas ubicadas y residentes en otros Estados miembros cuando efectúen en sus fronteras transportes de cabotaje y transportes internacionales no propiamente de tránsito[33]. Es decir que una persona conductora o trabajadora de una empresa transportista se considerará desplazada a efectos de aplicación de la nueva Directiva cuando cargue y descargue mercancías o recoja y deje personas pasajeras en diversos lugares de uno o más Estados miembros distintos del Estado de establecimiento de la empresa transportista o porteadora. Lo que conlleva la aplicación de dicha Directiva tanto a los transportes de cabotaje como a los transportes internacionales en los citados supuestos con pluralidad de cargas y descargas

31. STC 185/1995, de 14 de diciembre. BOE n.º 11, de 12 de enero de 1996.
32. Sobre esta cuestión en particular puede verse Belintxon Martín, U., «La singularidad del desplazamiento transfronterizo de conductores en la Unión Europea, el salario mínimo y el Reglamento 593/2008», *La Ley Unión Europea*, 96, octubre 2021, pp. 1-25.
33. Acerca de la legislación laboral aplicable a los trabajadores desplazados en una prestación de servicios Casado Abarquero, M., «Legislación aplicable a los trabajadores desplazados en el marco de una prestación de servicios en la Unión Europea», en Goñi Sein, J. L. e Iriarte Ángel, J. L. (Dirs.), *Prevención de riesgos laborales y protección social de trabajadores expatriados*, Cizur Menor, Thomson Reuters Aranzadi, 2019, pp. 339-369.

sucesivas. No siendo de aplicación en cambio para aquellos supuestos en los que se transite a través del territorio de un Estado miembro sin cargar y/o descargar mercancía y sin recoger y/o dejar personas pasajeras en lo que a dicho país o Estado de tránsito se refiere. Ni tampoco a los transportes con lugar de origen y destino en dos Estados distintos, pero sin pluralidad de cargas ni descargas en el Estado de acogida del servicio a efectuar. Por lo que para los casos en los que en un mismo transporte acaezcan cargas y/o descargas parciales de la mercancía o de las personas viajeras en localizaciones distintas del Estado o de los Estados de acogida que pudieran corresponder, las personas conductoras o trabajadoras de la empresa transportista que efectúen dicho transporte quedarán sometidas a las normas del Estado de acogida para cuestiones de salario y remuneración[34], con la correspondiente complejidad que aflora en los supuestos en los que se efectúen una pluralidad de cargas y descargas en más de un Estado de acogida puesto que a la parte del transporte efectuada en uno y otro Estado miembro de acogida les será de aplicación la norma nacional correspondiente para dicho cálculo dentro de un mismo trayecto o transporte internacional y/o de cabotaje (artículo 1).

Claro está, el miedo patente de las instituciones europeas a una posible fragmentación del mercado interior del transporte por carretera parece les ha hecho ceder una vez más ante las exigencias del primer bloque de países referido. Cesiones que en nuestra opinión complican la actividad diaria de las operadoras empresariales y jurídicas de este importante sector comercial y son además contrarias a las normas europeas sobre discriminación por razón de la nacionalidad (artículo 18 y ss. del TFUE), al espacio de libertad, seguridad y justicia (artículos 67 y ss. del TFUE)[35], y a las libertades comunitarias consagradas en los artículos 45 y ss. del TFUE (todas ellas normas, derechos y libertades recogidas, y en teoría también potenciadas, por el actual Tratado de Lisboa).

En definitiva, conflicto de fondo político-económico convenientemente camuflado de controversia jurídica que profundiza en las diferencias y refleja cada vez más una Unión insolidaria, contraria precisamente a la esencia de lo que un día se pretendió con el esbozo del viejo boceto del proyecto de los Estados Unidos de la Unión Europea, y que únicamente puede resolverse o con el robustecimiento de los principios inspiradores de

34. En relación a esta materia véase a Iriarte Ángel, J. L. «La precisión del lugar habitual de trabajo como foro de competencia y punto de conexión en los Reglamentos europeos», *CDT*, vol. 10, núm. 2, octubre de 2018, pp. 488-495.

35. En este sentido pueden verse las reflexiones vertidas por Fernández Rozas, J. C., «El Espacio de libertad, seguridad y justicia consolidado por la Constitución Europea», *La Ley*, D-195, 2004, p. 16.

un espacio común de libertad, seguridad y justicia con plena garantía de los Derechos Humanos, los Derechos Fundamentales y solidaridad o con la desintegración del actual estado de las cosas.

3. LA CONFIGURACIÓN DEL TRANSPORTE DE CABOTAJE POR CARRETERA ENTRE LA UE Y EL REINO UNIDO TRAS EL BREXIT

El 1 de febrero de 2020 una parte elemental de la UE, el Reino Unido, abandonaba el soñado proyecto de los Estados Unidos de Europa y con ello afloraba una catarsis normativa, jurídica, política, comercial, institucional y económica con nítida incidencia en el sector del transporte internacional en todos sus ámbitos y modalidades. Una salida que inauguró un nuevo tiempo en la realidad internacional acompañado de la mano de las incertezas e incógnitas que todavía hoy persisten al haber despreciado las certezas que posibilitaba la situación anterior y que se proyectan claramente sobre la incertidumbre jurídica, política y económica que seguimos padeciendo a finales del año 2023 y principios de 2024[36].

El Acuerdo de Retirada negociado y acordado el 17 de octubre de 2019 es el marco principal que vino a establecer las condiciones de retirada ordenada del Reino Unido de la UE proporcionando cierta dosis de seguridad jurídica a las personas, operadores, empresas y administraciones de la UE y el Reino Unido. Un acuerdo compuesto de 185 artículos divididos en seis partes claramente diferenciadas y que también viene expresamente a hacer referencia a la ejecución futura de transportes internacionales y transportes de cabotaje entre el Reino Unido y cualquier Estado miembro de la Unión Europea y viceversa.

Desde el 1 de enero de 2021 la salida del Reino Unido de la Unión tiene efectos permanentes en la movilidad geográfica general y en el sector del transporte. Para el transporte rodado de mercancías y personas pasajeras por carretera los Reglamentos (CE) 1071/2009, 1072/2009 y 1073/2009 quedan en parte desplazados y/o modificados para normativizar los transportes en los que aflore un elemento internacional relacionado con el Reino Unido que pasa a ostentar estatus de tercer Estado. De la lectura e interpretación combinada de los Reglamentos (CE) 1072 y 1072 del año 2009 y del Acuerdo de Comercio y Cooperación suscrito entre la Unión Europea y el Reino Unido[37] podemos concluir que son dos las situaciones que pueden aflorar en la actualidad en la presente materia. Es decir, deben distinguirse las operaciones de cabotaje realizadas por porteadores y transpor-

36. Véase, Álvarez Rubio, J. J., «Implicaciones del Brexit para el transporte marítimo», *La Ley Unión Europea,* núm. 100, 2022, pp. 1-5.
37. DOUE L 149/10 de 30 de abril de 2021.

tistas de mercancías y personas viajeras por carretera de la Unión Europea, y aquellas materializadas por transportistas y porteadoras del Reino Unido. Asimismo, habrá que diferenciar el transporte internacional procedente del Reino Unido del transporte internacional con destino Reino Unido.

Para los casos en los que las operaciones de cabotaje se acometan en Reino Unido por parte de porteadores de la Unión Europea en el sector de mercancías por carretera los requerimientos exigidos por el artículo 462.7 del Acuerdo de Comercio y Cooperación son claros e inequívocos[38], un máximo de dos servicios o transportes de cabotaje de mercancías en el seno de una semana tras la entrada del vehículo cargado mediante la realización de un transporte internacional previo con lugar de descarga ubicado en el Reino Unido. No cabría por tanto según lo dispuesto por el citado precepto materializar una entrada en Reino Unido en vacío para realizar transportes de cabotaje internos en Reino Unido.

En relación ya a las operaciones de cabotaje materializadas por porteadores de mercancías por carretera del Reino Unido en alguno de los Estados miembros de la Unión Europea, debe advertirse que lo acordado es ciertamente más restrictivo que para el supuesto anterior al permitir única y exclusivamente que los porteadores británicos materialicen un único servicio de cabotaje en el plazo de una semana tras la entrada en territorio de la Unión mediante un transporte internacional previo con lugar de descarga o destino en la UE (artículo 462. 4 del Acuerdo de Comercio y Cooperación[39]).

Finalmente, la tercera derivada de todo ello es la situación relacionada con la prestación de servicios de transporte de cabotaje entre la República de Irlanda e Irlanda del Norte. Para este concreto caso el número de operaciones materializables por un transportista establecido en Irlanda del

38. Artículo 462.7: «Siempre que se cumplan las condiciones del apartado 2 (art. 426), los transportistas de mercancías por carretera de la Unión podrán realizar hasta dos recorridos con carga dentro del territorio del Reino Unido, siempre que dichos recorridos: a) sean posteriores a un viaje desde el territorio de la Unión autorizado en virtud del apartado 1, letra a); y b) se lleven cabo en un plazo de siete días después de la descarga en el territorio del Reino Unido de las mercancías transportadas en el recorrido a que se refiere la letra a)».

39. Artículo 462.4: «Sin perjuicio de lo dispuesto en el apartado 5, no obstante, lo dispuesto en el apartado 6 y siempre que se cumplan las condiciones establecidas en el apartado 2, los transportistas de mercancías por carretera del Reino Unido podrán realizar un recorrido con carga dentro del territorio de un Estado miembro, siempre que dicho recorrido: a) sea posterior a un viaje desde el territorio del Reino Unido autorizado en virtud del apartado 1, letra a); así como b) se lleve cabo en un plazo de siete días después de la descarga en el territorio de ese Estado miembro de las mercancías transportadas en el recorrido a que se refiere la letra a)».

Norte en la República de Irlanda se verá incrementado de una a dos (artículo 462.5[40]).

La razón de ser de las diferencias en la configuración del número de transportes de cabotaje realizables según sean efectuados por porteadores de la UE en Reino Unido (más laxas —2 servicios de cabotaje—) o porteadores del Reino Unido en la UE (un único servicio de cabotaje), radica en el desabastecimiento de servicios de transporte de mercancías por carretera, y ausencia de personas cualificadas para trabajar en dichos ámbitos, que ha padecido Reino Unido a lo largo de los años 2021 y 2022 tras el Brexit. Todo ello conscientes de la excepción practicada con los operadores transportistas de Irlanda del Norte.

40. «Con sujeción a lo dispuesto en el apartado 6 y siempre que se cumplan las condiciones establecidas en el apartado 2, los transportistas de mercancías por carretera del Reino Unido establecidos en Irlanda del Norte podrán realizar hasta dos recorridos con carga dentro del territorio de Ir-landa, siempre que dichos recorridos: a) sean posteriores a un viaje desde el territorio de Irlanda del Norte autorizado en virtud del apartado 1, letra a); b) se lleven cabo en un plazo de siete días después de la descarga en el territorio de Irlanda de las mercancías transportadas en el recorrido a que se refiere la letra a)».

Capítulo 5

Reflexiones para el siglo XXI sobre la ley aplicable a los contratos de transporte internacionales y de cabotaje en territorio de la Unión

SUMARIO: 1. SOBRE LA CONFIGURACIÓN DE LOS TRANSPORTES DE CABOTAJE. 2. ¿CABRÍA SUBSUMIR LA CALIFICACIÓN DE LOS TRANSPORTES DE CABOTAJE COMO TRANSPORTES INTERNACIONALES?.

1. SOBRE LA CONFIGURACIÓN DE LOS TRANSPORTES DE CABOTAJE

Los transportes de cabotaje se configuran en la actualidad como una tipología de transporte que se concibe en el regazo de la Comunidad Europea, y coexiste para el territorio de la UE con los calificados transportes internacionales y transportes nacionales.

Los textos internacionales de carácter unimodal vigentes y aplicables al transporte internacional no acogen alusión ni definen esta singular tipología de transporte que trae su razón de ser en una concepción anquilosada sobre la acotación fronteriza de los Estados y en la ausencia de liberalización de la actividad de prestación de servicios de transporte que impera en este siglo y que cabe ya superar.

En nuestro ordenamiento jurídico interno, ni Las Reglas de la Haya Visby para el transporte marítimo internacional en régimen de conocimiento de embarque[1], ni el Convenio de Montreal de 1999 para el transporte

1. Gaceta núm. 212, de 31 de julio de 1930 (RCL 1930, 1105).

aéreo internacional de mercancías y personas pasajeras[2], ni las Reglas Uniformes CIM, derivadas del Convenio COTIF, para la regulación del transporte ferroviario internacional[3], ni el Convenio CMR de 1956 para el transporte internacional de mercancías por carretera[4] albergan expresa mención al cabotaje. Dicho esto, tras un ejercicio de espeleología jurídica propio de otro tiempo, sí podemos encontrar una referencia prácticamente de soslayo, y sin precisar, al transporte de cabotaje en normas de origen interno o nacional (véase el artículo 68, párrafo segundo de la Ley 48/1960 sobre navegación aérea[5]).

No cabe duda de que esta tipología de transporte es una creación de la legisladora de la Unión cuya finalidad pasa por posibilitar una atenuada y confusa respuesta a las aspiraciones de determinados Estados de la UE de no traspasar la competencia exclusiva para normativizar el transporte y su liberalización a las instituciones europeas[6].

En esencia el mantenimiento de esta calificación triple de los tipos de servicios de transporte realizables en la Unión refleja cierto fracaso del proyecto europeo y deja claro que el sector del transporte es un ámbito que no se encuentra plenamente liberalizado y para el cual no puede garantizarse la libre prestación de servicios de transporte.

Las normas de la Unión que agrupan alguna alusión a esta materia proceden de la década de los años 90, en particular el Reglamento (CEE) N.º 3577/92 para la regulación del transporte de cabotaje marítimo dentro de los Estados miembros (que actualmente sigue en vigor)[7]; y los Reglamentos (CEE) 3118/93[8] y 12/98[9] para el sector del transporte por carretera [regla-

2. BOE núm. 122, de 20 de mayo de 2004.
3. BOE núm. 149, de 23 de junio de 2006.
4. BOE núm. 109, de 7 de mayo de 1974.
5. BOE núm. 176, de 23 de julio de 1960.
6. En relación a esta materia, Belintxon Martín, U., «La confluencia de los distintos bloques normativos aplicables en materia de transporte internacional por carretera: divergencias y efecto distorsionador», en Petit Lavall, M. V., Martínez Sanz, F. y Recalde Castells, A. (Dirs.), *La nueva ordenación del mercado de transporte,* Madrid, Marcial Pons, 2013, pp. 15-20.
7. Reglamento (CEE) n.º 3577/92 del Consejo, de 7 de diciembre de 1992, por el que se aplica el principio de libre prestación de servicios a los transportes marítimos dentro de los Estados miembros (cabotaje marítimo). DOCE L 364/7, de 12 de diciembre de 1992.
8. Reglamento (CEE) n.º 3118/93 del Consejo, de 25 de octubre de 1993, por el que se aprueban las condiciones de admisión de transportistas no residentes en los transportes nacionales de mercancías por carretera en un Estado miembro. DOCE L 279/1, de 12 de noviembre de 1993.

mentos modificados en su totalidad por los Reglamentos (CE) 1071[10], 1072[11] y 1073[12] del paquete de transporte y movilidad del año 2009, modificados de forma parcial a su vez recientemente por el citado Reglamento (UE) 2020/1055 de 15 de julio de 2020 aplicable desde el 21 de febrero de 2022[13]].

Cabe, como ya dijimos, definir el transporte de cabotaje como aquel transporte con independencia del modo, tanto de personas viajeras y sus equipajes como de mercancías, con lugar de origen y destino en el territorio de un mismo Estado y que es ejecutado por una empresa porteadora o transportista con residencia en un tercer Estado. Es decir, son transportes de cabotaje aquellos transportes internos o nacionales por cuenta ajena llevados a cabo con carácter temporal en un Estado miembro de acogida (en el sentido de un Estado miembro en el que opera una entidad o empresa transportista), distinto del Estado miembro de establecimiento de la citada entidad o empresa transportista/ porteadora.

2. ¿CABRÍA SUBSUMIR LA CALIFICACIÓN DE LOS TRANSPORTES DE CABOTAJE COMO TRANSPORTES INTERNACIONALES?

Para la actual aplicación del Derecho de la Unión Europea esta calificación suscita o genera un mayor índice de controversias jurídico-interpretativas en el sector o ámbito del transporte rodado por carretera a la luz de lo previsto por los Reglamentos europeos (CE) 1071, 1072 y 1073 de 21 de

9. Reglamento (CE) n.º 12/98 del Consejo de 11 de diciembre de 1997 por el que se determinan las condiciones de admisión de los transportistas no residentes a los transportes nacionales de viajeros por carretera en un Estado miembro. DOCE L 4/10, de 8 de enero de 1998.
10. Reglamento (CE) n.º 1071/2009 del Parlamento Europeo y del Consejo, de 21 de octubre de 2009, por el que se establecen las normas comunes relativas a las condiciones que han de cumplirse para el ejercicio de la profesión de transportista por carretera y por el que se deroga la Directiva 96/26/CE del Consejo. DOUE L 300/51, de 14 de noviembre de 2009.
11. Reglamento (CE) n.º 1072/2009 del Parlamento Europeo y del Consejo, de 21 de octubre de 2009, por el que se establecen normas comunes de acceso al mercado del transporte internacional de mercancías por carretera. DOUE L 300/72, de 14 de noviembre de 2009.
12. Reglamento (CE) n.º 1073/2009 del Parlamento Europeo y del Consejo, de 21 de octubre de 2009, por el que se establecen normas comunes de acceso al mercado internacional de los servicios de autocares y autobuses y por el que se modifica el Reglamento (CE) n.º 561/2006. DOUE L 300/88, de 14 de noviembre de 2009.
13. Reglamento (UE) 2020/1055 del Parlamento Europeo y del Consejo, de 15 de julio de 2020, por el que se modifican los Reglamentos (CE) n.º 1071/2009, (CE) n.º 1072/2009 y (UE) n.º 1024/2012 con el fin de adaptarlos a la evolución del sector del transporte por carretera. DOUE L 249/17, de 31 de julio de 2020.

octubre del año 2009 y modificados parcialmente por el reseñado Reglamento (UE) 2020/1055 de 15 de julio de 2020.

Así, actualmente, la realización o materialización de esta tipología de servicios requieren del cumplimiento de ciertos condicionantes o limitaciones impuestas[14] a la autonomía de la voluntad de las partes[15], al sometimiento a ciertas restricciones cuantitativas y temporales y a la obtención de una Licencia habilitante.

En la práctica, tal y como ya hemos referido en este trabajo, se exige en primer término la obtención de una Licencia comunitaria única como título habilitante expedida por el ministerio de fomento del Estado miembro correspondiente al establecimiento del porteador para poder realizar transportes internacionales, nacionales y de cabotaje en territorio de la Unión Europea.

En segundo lugar, deben mencionarse nuevamente los Reglamentos (CE) 1072 y 1073 que regulan, como dijimos, en sus artículos 9[16] y 16[17] respectivamente normas con orientación conflictual desde una perspectiva jurídica o dimensión ad-intra si tenemos en cuenta su ámbito de aplicación intraeuropeo[18]. Los dos artículos establecen la aplicación imperativa del Derecho del Estado miembro de acogida a la regulación de las condiciones

14. Sobre esta cuestión en particular pueden verse las reflexiones de Fernández Rozas, J. C., «Alternativas e incertidumbres de las cláusulas de solución de controversias en la contratación marítima internacional», CDT, vol. 10, octubre 2018, núm. 2, pp. 333-375.

15. Sobre la autonomía de la voluntad en el sector del transporte, pueden verse, Castellanos Ruiz, E., *Autonomía de la voluntad y derecho uniforme en el transporte internacional*, Granada, Editorial Comares, 1999, pp. 12-15; Álvarez Rubio, J. J., «Competencia judicial internacional en el transporte internacional. Especial referencia al transporte marítimo», en De Eizaguirre Bermejo, J. M., «El Derecho del transporte marítimo internacional», I Jornadas sobre Transporte Marítimo Europeo, aspectos mercantiles y jurisdiccionales, Donostia (20 y 21 de mayo de 1993), Escuela de Administración Marítima-Itsas Arduralaritzazko Eskola, p. 133.

16. «1. La realización de los transportes de cabotaje estará sujeta, sin perjuicio de la aplicación de la normativa comunitaria, a las disposiciones legales, reglamentarias y administrativas vigentes en los Estados miembros de acogida en relación con lo siguiente: a) las condiciones que rigen el contrato de transporte [...]».

17. «1. Sin perjuicio de la aplicación de la normativa comunitaria, la realización de los transportes de cabotaje previstos en el artículo 15 estará sometida a las disposiciones legales, reglamentarias y administrativas vigentes en el Estado miembro de acogida, en lo que se refiere a los siguientes ámbitos: a) las condiciones que rigen el contrato de transporte [...]».

18. En este sentido pueden verse las reflexiones de Belintxon Martín, U., «La calificación del transporte de cabotaje como transporte internacional en el Derecho del transporte por carretera: el elemento de internacionalidad», RDT: Revista de Derecho del Transporte, núm. 16, 2015. pp. 141-166.

contractuales del transporte de cabotaje[19], desplazando la libre autonomía de la voluntad de las partes para la designación de la ley aplicable al contrato que acoge, en ciertos casos con limitaciones, el Reglamento Roma I (véase lo dispuesto en los artículos 3 y 5.1 para el transporte de mercancías y 5.2 para el transporte de personas viajeras). En efecto, estas normas de cabotaje, los citados artículos 9 y 16, regulan normas de conflicto de aplicación imperativa del Estado miembro de acogida del servicio de transporte de mercancías o personas viajeras ejecutado por una empresa transportista o porteadora no residente, nacional a su vez de otro Estado miembro europeo de la Unión[20].

Ante esta tesitura el Reglamento Roma I[21] para la determinación de la ley aplicable a los contratos de transporte internacionales queda desplazado en la actualidad y no puede aplicarse a los contratos de transporte de cabotaje puesto que éstos tienen, en ausencia de Convenio internacional de aplicación, normas europeas específicas para su regulación.

Los artículos 23 y 25 del Reglamento Roma I son claros al efecto al garantizar respectivamente la aplicación de las normas contenidas en instrumentos europeos especiales y Convenios internacionales elaborados de forma particular para un sector determinado de la contratación internacional y europea[22], como pudieran ser los citados Reglamentos (CE) 1072 y 1073 del año 2009, el Reglamento (CEE) N.º 3577/92, el Convenio CMR de 1956, el Convenio de Montreal de 1999, las Reglas Uniformes CIM o las Reglas de la Haya Visby. Unas reglas, las contenidas en los artículos 23 y 25 del Roma I, que ostentan un carácter más riguroso que las contenidas en los artículos 20 y 21 del Convenio de Roma de 1980 que señalaban tanto a normas europeas e internacionales que ya formasen parte del ordenamiento de los Estados, como aquellas otras que en un futuro pudiesen estar en vigor o ser ratificadas por dichos Estados, permitiendo de esta manera un marco

19. Basedow, J., «Zulassigkeit und Vertragsstatut der Kabotagentransporte. Zum Verhaltnis von Marktoffnung und Wirtschaftkollisionstrecht in der Europaischen Gemeinschaft», *ZHR*, vol. 156, 1992, pp. 413-442.

20. Sobre este particular véase a Llorente Gómez De Segura, C., «Contratos internacionales. El contrato de transporte. Introducción. Cuestiones generales de Derecho internacional privado», *Derecho del Comercio Internacional*, Madrid, Colex, 2012, pp. 913-915.

21. Reglamento (CE) N.º 593/2008 del Parlamento Europeo y del Consejo de 17 de junio de 2008 sobre la ley aplicable a las obligaciones contractuales (Roma I). DOUE L 177/6 de 4 de julio de 2008.

22. Acerca de esta cuestión puede verse, Garau Sobrino, F. F., «La literalidad interpretada desde la coherencia del sistema. Las relaciones entre Reglamento Bruselas I y los convenios sobre materias particulares según el TJUE», *CDT*, vol. 3, 2011, núm. 1, pp. 270-281.

mucho más abierto que el delimitado de forma temporal por la redacción del Reglamento Roma I.

Y en tercer lugar, cabe volver a subrayar que el citado Reglamento (UE) 2020/1055, de julio de 2020 y aplicable desde febrero de 2022 (y que como ya adelantamos es un paquete normativo que nos ofrece un amplio elenco de posibilidades para el estudio, investigación y reflexión desde nuestra disciplina del Derecho internacional privado —entre otras materias por su interés—, cuestiones relacionadas con el desplazamiento transfronterizo de personas trabajadoras[23] —véase la Directiva (UE) 2020/1057[24]—), mantiene como advertimos todas y cada de las anteriores exigencias y limitaciones (transporte internacional previo de entrada en el estado de acogida y tres transportes máximos en el plazo de una semana tras la cual se debe salir del Estado de acogida —recuerden la particularidad de Reino Unido en sus relaciones con la UE y la República de Irlanda—) y además incorpora otras nuevas de carácter cuantitativo y temporal (una vez fuera del Estado de acogida debe el vehículo utilizado en el citado transporte de cabotaje permanecer 4 días sin poder volver a entrar, mediante el preceptivo transporte internacional previo, en el mismo Estado de acogida) que suponen otra muestra grosera de que ni los Estados miembros de la Unión, ni las instituciones europeas abogan en estos momentos por la total liberalización del sector del transporte, ni por la consolidación de la libre prestación de servicios de transporte[25] como pieza esencial de una Política Común de Transportes inacabada y que en la actualidad es, sin dudarlo y tal y como venimos reiterando, la menos Común de todas la Políticas[26] y, esto la verdad es una ofensa para el sentido común de los ciudadanas y ciudadanos europeos[27].

23. Sobre esta cuestión, Belintxon Martín, U., «Dumping Social, desarmonización sociolaboral y Derecho internacional privado: la des-Unión Europea», *op. cit.*, nota 32, pp. 611-642.

24. Directiva (UE) 2020/1057 del Parlamento Europeo y del Consejo, de 15 de julio de 2020, por la que se fijan normas específicas con respecto a la Directiva 96/71/CE y la Directiva 2014/67/UE para el desplazamiento de los conductores en el sector del transporte por carretera y por la que se modifican la Directiva 2006/22/CE en lo que respecta a los requisitos de control del cumplimiento y el Reglamento (UE) n.º 1024/2012.DOUE L 249/49, de 31 de julio de 2020.

25. En este sentido, Belintxon Martín, U., *La necesaria adecuación de la legislación vasca del transporte a la dimensión transfronteriza*, *op. cit.*, nota 2, pp. 130-146.

26. En relación a la política común de transportes, entre otros, Belintxon Martín, U., «La política común de transportes de la UE: ¿la menos común de todas las políticas? Una primera reflexión sobre el Reglamento (UE) 2020/1055 de 15 de julio de 2020», *La Ley Unión Europea*, núm. 87, diciembre 2020, pp. 1-17.

27. Belintxon Martín, U., «La efectiva liberalización del sector del transporte por carretera en la UE y el acceso a la profesión de transportista: ¿Licencia comunitaria única?», *op. cit.*, nota 163, pp. 15-24.

En conclusión, se equivocan sobremanera las instituciones europeas y la legisladora y el legislador de la Unión al hacer concesiones como la de mantener la triple calificación de los servicios de transporte ejecutados en territorio europeo. La solución a este dilema, como ya hemos adelantado, pasa imperativamente por calificar a los actuales transportes de cabotaje o de transportes internacionales o de transportes nacionales. Es decir, el/la operador/a jurídico/a y el/la operador/a empresarial de transporte se encuentran en el seno de la UE ante un problema de calificación frente a normas como las contenidas en los artículos 9 y 16 de los citados Reglamentos (CE) 1072 y 1073 del año 2009, donde incluso cabe cuestionarse sobre los conceptos dogmáticos y doctrinales de nuestra disciplina de Derecho internacional privado al tenor de lo dispuesto en el artículo 12 del Código Civil, y todo ello hace obligado un proceso de reflexión que nos permita valorar si la respuesta que dicha norma nos ofrece permite resolver esta compleja cuestión, o si en cambio debiera ser el Derecho europeo quien articulase una solución definitiva y a modo de criterio hermenéutico sobre todo ello.

Personalmente entendemos que este tipo de transportes deben ser calificados de transportes internacionales y quedar sometidos para la determinación de la ley aplicable a las normas sobre contratos de transporte contenidas en la norma conflictual por excelencia para la determinación de la ley aplicable a las obligaciones contractuales (Reglamento Roma I). Como han podido apreciar la concepción proyectada con anterioridad sobre transporte de cabotaje se compone de ciertos elementos de heterogeneidad/internacionalidad que la identifican nítidamente del transporte puramente nacional o interno, por lo que cabría plantearse su calificación como transporte internacional atendiendo a elementos ajenos al lugar de origen y destino del transporte a realizar. La variada casuística que puede presentarse en territorio común aconseja una calificación de este tipo de transportes según criterios de localización de las partes intervinientes en el contrato (teniendo en cuenta a su vez el lugar de ejecución del contrato), permitiendo así al operador un libre desarrollo de su actividad en el comercio internacional según la libre autonomía de la voluntad.

La derivada más práctica de todo ello sería el pleno sometimiento para la determinación de la ley aplicable a las previsiones contenidas en el Reglamento Roma I[28]. Una norma, el Reglamento Roma I, de alcance universal o *erga omnes* (artículo 2) y por consiguiente constituye la normativa que se

---

28. En relación a las reflexiones sobre el Convenio de Roma, véase, Tetley, W., *International Conflict of Laws: common, civil and maritime: the rome convention 1980*, Blais, 1994, pp. 59-ss.

aplica en los Estados miembros de la Unión Europea, salvo Dinamarca, para determinar la ley reguladora de los contratos internacionales, aunque no sea la de un Estado miembro.

El texto europeo parte de la solución, consagrada en su artículo 3, de que los contratos internacionales, tanto tradicionales como electrónicos, se rigen en primer lugar por la ley elegida por las partes contratantes, es decir, recurre a la autonomía de la voluntad conflictual y, como posteriormente veremos, la configura de una manera muy amplia y prácticamente sin límites. Sin embargo, esta técnica está pensada para los supuestos en los que ambas partes están, al menos teóricamente, en un plano de igualdad. Por el contrario, cuando los contratantes operan en una situación de desigualdad, porque hay una parte fuerte y una parte débil, Roma I establece soluciones tendentes a proteger a la parte contratante que se encuentra en inferioridad mediante diversas técnicas, una de las cuales consiste en limitar la elección de ley por las partes. Ciertamente, también las leyes de policía a las que se refiere el artículo 9 del Reglamento constituyen un importante límite a la autonomía de la voluntad, pero su tratamiento singularizado desborda los márgenes del presente epígrafe del trabajo y no entraremos a su análisis.

Respecto a los rasgos más característicos del artículo 3 del Reglamento, la autonomía de la voluntad cabe indicar que dicho precepto en su primer epígrafe comienza diciendo: «El contrato se regirá por la ley elegida por las partes»; es decir, establece con claridad y rotundamente que la primera conexión para determinar el ordenamiento aplicable a un contrato internacional, tradicional o electrónico, es la autonomía de la voluntad. Esta solución es elevada a la categoría de principio general del propio Reglamento por la jurisprudencia del Tribunal de Justicia de la Unión Europea, que en su sentencia de 18 de octubre de 2016 (asunto C-135/15) afirma[29]: «... es preciso señalar que del artículo 3, apartado 1, y, en lo que respecta, más concretamente, a los contratos de trabajo, del artículo 8, apartado 1, del mismo Reglamento se desprende que la autonomía de la voluntad de las partes del contrato en lo que atañe a la elección de ley aplicable constituye el principio general consagrado por el Reglamento Roma I»[30]. En este sentido coincide sustancialmente con el preámbulo de la citada norma europea, que en su punto 11 dice: «La libertad de las partes de elegir la ley aplicable debe constituir una de las claves del sistema de normas de conflicto de leyes en materia de obligaciones contractuales».

29. STJUE de 18 de octubre de 2016. Asunto C-135/15, República de Grecia vs. Grigorios Nikiforidis. ECLI:EUC:2016:774.

30. Sobre esta cuestión véase el excelente estudio de la profesora Casado Abarquero, M., *La autonomía de la voluntad en el contrato de trabajo internacional*, Cizur Menor, Thomson Aranzadi, 2008, pp. 82-171.

Por consiguiente, el artículo 3 configura la autonomía de la voluntad de una manera amplia y prácticamente no sometida a límites. Como ha señalado la doctrina[31] para operar válidamente solo tiene que someterse a tres exigencias: claridad de la elección de Ley, elección de una ley estatal y que el pacto sea válido.

Respecto a la claridad de la elección, el propio artículo 3.1 dice que la misma «deberá manifestarse expresamente o resultar de manera inequívoca de los términos del contrato o de las circunstancias del caso». Esto significa que solo son válidas la elección expresa y la elección tácita, pero no caben la presunta o la hipotética. La elección expresa es la que se manifiesta de manera indudable en el propio contrato o en cualquier otro medio perdurable (un documento separado, remisión a unas condiciones generales de contratación, un intercambio de mails, etc.) o incluso de forma oral; si bien esta última modalidad es insegura y en ocasiones ineficaz, puesto que puede llegar a plantear serios problemas de prueba de la existencia del pacto de designación de ordenamiento. La elección tácita debe ser «inequívoca», bien porque se derive de los términos del contrato (remisión al ordenamiento local siendo que el contrato se debe cumplir únicamente en un país, reproducción literal y reiterada de la legislación de un Estado, etc.), o bien porque resulte de las circunstancias del caso (acuerdo para conferir competencia exclusiva a los Tribunales de un Estado para resolver los litigios dimanantes del contrato, contratos interrelacionados, el comportamiento de las partes de conformidad con un ordenamiento, el comportamiento procesal de los contratantes, etc.).

La elección debe ser en favor de la Ley vigente de un Estado existente en el momento que se hace la misma. Esto es lógico, pues solo un ordenamiento estatal tiene la capacidad de regular todos los extremos que plantea un contrato internacional. No obstante, en este aspecto el término «Estado» debe ser entendido más bien como «país», en el sentido de que las partes contratantes también puede designar como aplicable a su contrato la Ley de una entidad infraestatal con Derecho contractual propio (un Estado parte de una Federación o de una Confederación, una Comunidad Autónoma, una Provincia, etc.). Pero además no se puede olvidar que la obligación de someterse a la ley de un país «no impide a las partes incorporar por referencia a su contrato un Derecho no estatal o un convenio internacional» (punto 13 del Preámbulo). Es decir, los contratantes tienen la facultad de incorporar a su contrato «normas no estatales» (*Lex* Mercatoria, Principios

31. Calvo Caravaca, A. L. y Carrascosa González, J., *Derecho Internacional Privado*, vol. 2, 18.ª Edición, Granada, Comares, 2018; Dolores Ortiz Vidal, M.ª, *Ley aplicable a los contratos internacionales y eficiencia conflictual*, Granada, Comares, 2014.

UNIDROIT, usos del comercio generales o particulares, etc.), pero la validez de tales incorporaciones quedará limitada por lo establecido en el ordenamiento estatal que rija el contrato.

En cuanto a la validez del pacto hay que partir de la idea fundamental de que el acuerdo de elección de ley es autónomo respecto del contrato al que se refiere; o sea tiene una naturaleza independiente y específica. Esta realidad tiene la importantísima consecuencia de que la eventual nulidad del contrato no implica forzosamente la consiguiente nulidad de la cláusula de elección de ordenamiento, que seguiría operando a todos los efectos. Lo mismo se puede decir, aunque en sentido inverso, de los supuestos en los que la nulidad afecta a dicha cláusula. La validez de esta última dependerá de que se haya pactado por contratantes que tengan la debida capacidad de conformidad con el ordenamiento que rija su estatuto personal, que su forma sea la prevista en un ordenamiento aplicable de acuerdo con el artículo 11 del Reglamento Roma I y que el consentimiento sea válido en virtud de la ley que sería aplicable si el pacto de elección fuese válido.

Sin necesidad de detenernos en aspectos tan significativos como que los contratantes pueden designar la ley aplicable a la totalidad o solamente a una parte del contrato, de tal manera que diferentes ordenamientos jurídicos regirán distintas partes del mismo (dépeçage) o que los contratantes pueden, en cualquier momento, convenir que el contrato se rija por una ley distinta de la que lo regía con anterioridad o designar la ley aplicable después de celebrarlo, respetando la validez formal y los derechos de terceros, es claramente apreciable que el artículo 3 del Reglamento configura la autonomía de la voluntad conflictual de una manera muy extensa y prácticamente no sometida a límites, hasta el punto de que las partes contratantes pueden designar como aplicable un ordenamiento que no tenga ningún vínculo con el contrato de que se trate, o sea en principio Roma I consagra que en la inmensa mayoría de los contratos, en los de naturaleza puramente patrimonial, la elección de ley es libérrima.

Expuesto lo que antecede, debe precisarse que a diferencia de la contratación tradicional, las singularidades que caracterizan la contratación electrónica, o contratación vía internet, en ocasiones complican la concreción o ubicación en un concreto ordenamiento jurídico nacional de ese haz de relaciones jurídicas según las pautas o criterios de conexión típicos, interpretados hermenéuticamente por doctrina y jurisprudencia, como la ley de la residencia habitual de la parte prestadora de los servicios y/o de la parte vendedora, la ley de la residencia habitual de la parte que deba realizar la prestación característica del contrato, o el lugar de materialización de las obligaciones contractuales contraídas para los servicios de transporte de mercancías con independencia del modo contratados de forma tradicional o electrónica. Y todo ello sin obviar las particularidades de los criterios diseñados especialmente para la protección de la parte débil[32] en determinadas relaciones contractuales que limitan en cierta manera la autonomía de la voluntad (contratos de consumo, contratos de transporte de personas viajeras y/o los contratos de seguro contratados de forma tradicional o electrónica).

En efecto, debe tenerse en cuenta que para la contratación electrónica la clásica concreción de la delimitación de las fronteras del siglo pasado se diluye y esto eleva, en cierta manera, la dificultad de concreción de los criterios de conexión menos dúctiles haciendo aflorar una mayor inseguridad jurídica.

Por otro lado, y no menos importante, debe tenerse presente la existencia de normas uniformes de carácter material que regulan o normativizan los contratos de prestación de servicios de transporte. Normas aplicables tanto a la contratación tradicional como a la electrónica[33]. En efecto, nos referimos, entre otros, a los Convenios de carácter unimodal que regulan las prestaciones de servicios en materia de transporte[34]. Textos internacionales de carácter multilateral que conviven para dichas materias, o para otras propias del comercio internacional[35], con instrumentos de carácter más flexible y dispositivo como leyes modelo o los citados Principios UNIDROIT.

Desde luego no podemos obviar que en los próximos lustros la contratación tradicional de servicios de transporte va a convivir, va a coexistir con la contratación electrónica de servicios de transporte y la expedición de billetes o cartas de porte digitales siendo cada vez más habitual esta última modalidad tanto en el sector del transporte de mercancías como en el ámbito del transporte de personas viajeras (el Derecho de los formularios electrónicos, la documentación de transporte electrónica; cartas de porte electró-

32. En este sentido *vid.* Iriarte Ángel, J. L., «Capítulo XV. Ley aplicable a los contratos internacionales de trabajo: Reflexiones sobre la jurisprudencia del Tribunal Supremo», en Calvo Caravaca, A. L. y Carrascosa González, J., (Coord.), *El Tribunal Supremo y el derecho internacional privado,* vol. 1, Tomo 1, Murcia, Rapid Centro Color, 2019, pp. 335-361.

33. Entre otros, Iriarte Ángel, J. L. y Casado Abarquero, M., «Incidencia del COVID-19 sobre los contratos internacionales y fuerza mayor», en Luquin Bergareche, R. (Dir.), *Covid 19: conflictos jurídicos actuales y desafíos,* Madrid, Wolters Kluwer, 2020, pp. 347-362.

34. *Vid.* Pichars, M., «L´évolution de la norme dans les transports», *op. cit.,* nota 95, pp. 17-48.

35. Sobre esta cuestión, Álvarez Rubio, J. J., «La regla de especificidad como cauce para superar los conflictos normativos entre Derecho comunitario y los Convenios internacionales en materias especiales», *Diario La Ley,* n.º 7499, 2010, pp. 1-6.

nicas, conocimientos de embarque electrónicos, contratos de fletamento electrónicos...)[36]. Dicho esto, los límites a la autonomía de la voluntad de las partes en la contratación de estos servicios en los que se combinan dos tipos de obligaciones (de medios y de resultado) tienen una mayor significación en la modalidad de transporte de personas viajeras. Dispuesto esto, vamos a centrarnos en analizar para ambas tipologías de servicios (mercancías y personas) lo dispuesto para la determinación de la ley aplicable en este tipo de contratos por el Reglamento Roma I.

Así, para ello la primera pauta a seguir en la UE para los contratos de transporte internacional tanto en sui modalidad electrónica como en su modalidad física o tradicional sería analizar la existencia de cláusula de elección de ley o acuerdo vigente entre las partes. El Reglamento Roma I aborda esto en su artículo 3[37] cuando se refiere a la libertad de elección de ley para regir el contrato entre las partes[38] como máximo exponente del grado de autonomía de la voluntad[39] que se confiere a las partes en ese intento de las instituciones europeas de constituir un sistema avanzado de normas de conflicto de leyes en materia de obligaciones contractuales que pivote sobre la libertad de elección[40].

Un precepto que recoge, tal y como hemos anticipado, dos reglas que caben reseñar por su especial significación práctica para el caso de que fueren activadas, por un lado, la posibilidad que tienen las partes de convenir en cualquier momento la ley aplicable al contrato, en este caso de transporte (artículo 3). En efecto, las partes tienen la posibilidad de establecer la ley que rige el contrato en el momento de la realización del contrato transporte, o incluso una vez acontecido el hecho generador de la controversia mediante acuerdo entre las partes del contrato que venga a modificar la previa elección materializada.

36. Iriarte Ángel, J. L., Calderón Marenco, E. A., Torres Buelvas, J. E., González Rivera, T. V. y Belintxon Martín, U., «Contratación y documentación electrónica en el transporte internacional: especial mención a la Carta de Porte. Un análisis desde el Derecho Internacional privado», *Cuadernos europeos de Deusto*, núm. 66, 2022, pp. 163-197.

37. «El contrato se regirá por la ley elegida por las partes. Esta elección deberá manifestarse expresamente o resultar de manera inequívoca de los términos del contrato o de las circunstancias del caso. Por esta elección, las partes podrán designar la ley aplicable a la totalidad o solamente a una parte del contrato».

38. En este sentido, Kaufmann-Kohler, G., *La clause d'élection de for dans les contrats internationaux*, Frankfurt, 1980, p. 1.

39. Guzmán Zapater, M., «El reglamento CE n.º 593/2008, del Parlamento Europeo y del Consejo, sobre ley aplicable a las obligaciones contractuales: régimen general, contratos de consumo y contrato individual de trabajo», *Aranzadi civil*, 2009, núm. 2, pp. 2257-2286.

40. Sobre esta cuestión, entre otros, Carrascosa González, J., «La autonomía de la voluntad conflictual y la mano invisible en la contratación internacional», *op. cit.*, nota 48.

Eso sí, no cabe obviar el condicionante del sometimiento a las leyes imperativas del Estado donde queden localizados todos o la mayor parte de los elementos de la relación contractual, incluso en detrimento de la ley elegida por las partes para regir el contrato.

Por otro lado, en defecto de elección de ley aplicable, el sistema diseñado por el Reglamento Roma I contempla en su artículo 5 una regla específica destinada al contrato de transporte de mercancías de carácter electrónico o tradicional que no altera sustancialmente la solución fijada por el artículo 4.4 del Convenio de Roma de 1980, pero que recibe ahora un trato diferenciado y autónomo del marco general de los artículos 3 y 4 del Convenio. De esta manera, para este singular sector contractual, no rige la regla establecida en el artículo 4.1.b, en su vertiente prestación de servicios, ni tampoco la regla contenida en el artículo 4.2 a modo de cláusula residual (siempre aplicable al transporte de personas viajeras y sus equipajes), conforme a la cual el contrato, tradicional o electrónico, quedaría regido por la ley del país donde tenga su residencia habitual la parte que deba realizar la prestación característica del contrato de transporte.

Esta particularidad de trato con la que se honra a esta importante categoría de transportar en defecto de elección de ley aplicable al contrato al alejarse de la presunción general[41], procura eludir que los supuestos contractuales de transporte caracterizados por la ausencia de pacto o acuerdo de elección de ley terminen determinándose por la ley del establecimiento principal de la empresa transportista o porteadora, entendiéndose que dicho criterio no es suficiente para localizar el contrato referido[42].

En decir, según el Reglamento, para el transporte de mercancías por carretera la ley aplicable será la del país donde la empresa transportista o porteadora tenga su residencia habitual[43], con la condición de que, el lugar de carga o recepción de las mercancías o el lugar de entrega o descarga, o la residencia habitual de la parte cargadora también estén situados en ese país[44]. En aquellos supuestos en los que no se cumplan dichos requisitos

41. En este sentido pueden verse las reflexiones de Hernández Rodríguez, A., «El contrato de transporte aéreo de pasajeros: algunas cuestiones sobre competencia judicial internacional y derecho aplicable», *op. cit.*, nota 149, pp. 179-194.
42. Belintxon Martín, U., «Derecho internacional privado y transporte aéreo: cuestiones de actualidad sobre jurisdicción y ley aplicable», *op. cit.*, nota 97, pp. 363-382.
43. Sobre esta cuestión en particular, Djoric, A., *Le contrat de transport international terrestre des marchandises*, Belgrado, Institut za uporedno pavo, 2005, pp. 180-204.
44. Conforme al artículo 5.1 del RRI relativo a los contratos de transporte: «En defecto de elección de ley aplicable al contrato para el transporte de mercancías de conformidad

acumulativos deberá aplicarse la ley del país en el cual esté situado el lugar de entrega pactado por las partes contractuales[45].

Como puede apreciarse, la coincidencia con el antiguo artículo 4.4 del Convenio del 80 radica principalmente en que las dos normas exigen que concurran ciertos requisitos semejables, fundamentalmente que el establecimiento principal o residencia habitual de la porteadora coincida con, o bien el lugar de carga o descarga o lugar de recepción o de entrega de las mercancías, o bien con el establecimiento principal o residencia habitual de la empresa o persona expedidora/remitente/cargadora. Expuesto esto, el artículo 5 del Reglamento Roma I es sencillamente más directo en la designación de la ley aplicable en defecto de elección y se aleja del sistema de presunción referente a los *vínculos más estrechos* que recoge la redacción del artículo 4.4 del Convenio de Roma que dispone en referencia al contrato de transporte de mercancías que si *el país en el que el transportista tiene su establecimiento principal en el momento de la celebración del contrato fuere también aquel en que esté situado el lugar de carga o de descarga o el establecimiento principal del expedidor, se presumirá que el contrato tiene vínculos más estrechos con este país.*

Dicho esto, para el transporte de personas viajeras y sus equipajes, electrónicos o tradicionales, por su especificidad debemos subrayar que la autonomía de la voluntad de las partes para la elección de la ley aplicable al contrato de transporte de personas pasajeras queda restringida por el condicionante establecido en el artículo 5.2, párrafo segundo, del propio texto normativo, que únicamente posibilita a las partes elegir como ley aplicable: la ley del país donde la persona pasajera tenga su residencia habitual; la ley del país donde la empresa transportista o porteadora tenga su residencia habitual; la ley del país donde la empresa transportista o porteadora tenga el lugar de su administración central; la ley del país donde se encuentre el lugar de origen; o, la ley del país donde se encuentre el lugar de destino del transporte a efectuar. Criterios o puntos de conexión que a pesar de la restricción o limitación son los más comunes o habituales para su elección por las partes contractuales en este nuclear sector comercial[46].

---

con el artículo 3, la ley aplicable será la ley del país donde el transportista tenga su residencia habitual, siempre y cuando el lugar de recepción o el de entrega, o la residencia habitual del remitente, también estén situados en ese país. Si no se cumplen estos requisitos, se aplicará la ley del país donde esté situado el lugar de entrega convenido por las partes».

45. Garcimartín Alférez, F. J., «El Reglamento «Roma I» sobre ley aplicable a las obligaciones contractuales: ¿Cuánto ha cambiado el Convenio de Roma de 1980?», *La Ley*, 30 de mayo de 2008, núm. 6957.

46. Llorente Gómez de Segura, C., «La ley aplicable al contrato de transporte internacional según el Reglamento Roma I», *op. cit.*, nota 20, pp. 171-178.

Eso sí, ante la ausencia de elección de ley, el sistema diseñado por el Reglamento Roma I contempla en su artículo 5 una regla específica destinada al contrato de transporte de personas viajeras bastante novedosa, por su inexistencia en el Convenio de Roma de 1980, y que se aleja de la solución que fijaba el artículo 4.2 a modo de cláusula residual y que era de aplicación al contrato de transporte de personas pasajeras y sus equipajes, conforme a la cual el contrato quedaría regido por la ley del país donde tenga su residencia habitual la parte que deba realizar la prestación principal o característica del contrato —la empresa transportista o porteadora—, pero que recibe ahora un trato autónomo, diferenciado, independiente y principal[47].

En esencia, según el Reglamento, la ley aplicable será la del país donde la persona pasajera tenga su residencia habitual, con el condicionante de que el lugar de origen o el de destino del transporte a efectuar también estén localizados en dicho país[48]. Si no se cumplieren tales requisitos cumulativos deberá, a modo de cláusula de cierre, imperativamente aplicarse la ley del país en el cual esté situada la residencia habitual del transportista[49].

Es evidente que el sistema normativo se ha visto mejorado, complementado y desarrollado, tanto para el transporte de mercancías, como para el transporte de personas viajeras, mediante el nuevo texto que promueve mayores dosis de seguridad jurídica y previsibilidad de resultado[50]. Recuérdese que incluso se ha mejorado el ámbito normativizador del contrato de transporte de personas viajeras al destinarle un epígrafe independiente y autónomo respecto a la regulación contenida en la norma precedente. Un sector contractual para el cual se desplazaba la aplicación de la presunción contenida en el artículo 4.4 en favor de la normativizada en el apartado 2 del mismo artículo 4.

47. Belintxon Martín, U., «Ley aplicable a los contratos internacionales en defecto de elección: la interpretación del artículo 4 del Convenio de Roma y su proyección sobre el Reglamento Roma I», *La Ley Unión Europea*, enero 2015, núm. 22, pp. 55-60.

48. El artículo 5.2 del Reglamento Roma I señala que: «en defecto de elección por las partes de la ley aplicable al contrato para el transporte de pasajeros de conformidad con el párrafo segundo, el contrato se regirá por la ley del país donde el pasajero tenga su residencia habitual, siempre y cuando el lugar de origen o el lugar de destino también estén situados en ese país. Si no se cumplen estos requisitos, se aplicará la ley del país donde el transportista tenga su residencia habitual».

49. En relación al contrato de transporte y el Reglamento Roma I, Garcimartín Alférez, F. J., «El Reglamento «Roma I» sobre ley aplicable a las obligaciones contractuales: ¿Cuánto ha cambiado el Convenio de Roma de 1980?», *op. cit.*, nota 45.

50. Sobre esta cuestión, Belintxon Martín, U., «La incidencia del Covid-19 y su post-cronificación en el sector del transporte internacional», en Luquin Bergareche, R. (Dir.), *Covid-19: Confictos jurídicos actuales y otros desafíos*, Madrid, Bosch Wolters Kluwer, 2020, pp. 385-405.

Respecto a la cláusula de cierre del artículo 5.1 del Reglamento Roma I, debemos resaltar que es un aspecto recurrentemente tratado por el Tribunal de Justicia y para el que aporta un criterio hermenéutico claro, entre otras en la STJ de sala 3.ª, de 23 de octubre de 2014, asunto C-305/13 (Haeger & Schmidt) sobre la aplicación de la regla general establecida en el artículo 4.1 del Convenio de Roma para aquellos casos en los que no resulte aplicable la presunción establecida en su artículo 4.4. El texto internacional reguló expresamente en el citado artículo 4.4 que la presunción que figura en su apartado 2 no es aplicable al contrato de transporte de mercancías[51]. Así, cuando en el supuesto concreto no se presenten los requisitos acumulativos dispuestos en el mencionado apartado 4, y en aplicación de la cláusula de cierre establecida en el primer inciso del apartado 5 del artículo 4[52], habrá que recurrir a la aplicación de la regla general del artículo 4.1[53]. Circunstancia que en el texto actual se solventó de manera más adecuado al recoger en el último inciso del artículo 5.1 una cláusula de cierre muy clara que designa como ley aplicable la ley del lugar de entrega acordado por las partes[54].

Finalmente, tenemos que subrayar que para los supuestos en los que del conjunto de las circunstancias se infiera que el contrato, a falta de elección de ley aplicable, presenta vínculos manifiestamente más estrechos con un país distinto del indicado en el citado artículo 5, apartados 1 y 2, y a modo de cláusula de escape, se aplicará la ley de ese otro país. Regla que se aleja de la contenida en el artículo 4.5 del Convenio de Roma por el empleo del adverbio manifiestamente, y del artículo 4.3 del Reglamento Roma I por no recoger la expresión claramente, pero que sin duda alguna presenta de igual forma que la regulación genérica de la cláusula de escape del Reglamento una formulación limitativa o restrictiva[55].

51. En este sentido, De Miguel Asensio, P. A., «La Ley aplicable en defecto de elección a los contratos internacionales: El artículo 4 del Convenio de Roma de 1980», *La Ley*, XVI, abril 1995, pp. 1-7.
52. «[...] no se aplicará el apartado 2 cuando no pueda determinarse la prestación característica».
53. «[...] el contrato se regirá por la ley del país con el que presente los vínculos más estrechos».
54. Belintxon Martín, U., «Derecho Internacional Privado y transporte de viajeros por carretera: algunas cuestiones sobre jurisdicción y ley aplicable», *CDT*, vol. 8, marzo 2016, núm. 1, pp. 17-35.
55. Sobre la cláusula de cierre/cláusula de excepción pueden verse las consideraciones realizadas por: De Miguel Asensio, P. A., «Contratación internacional: La evolución del modelo de la Unión Europea», *Revista mexicana de Derecho internacional privado y comparado*, septiembre 2011, núm. 29, pp. 67-89.

Por último, cabe destacar que el considerando 22 del Reglamento Roma I advierte expresamente que no modifica lo dispuesto por el texto anterior en relación a la interpretación de los contratos de transporte de mercancías y a todos aquellos supuestos que pudieran quedar incardinados en el ámbito de aplicación del artículo 4.4. Una cuestión transcendental teniendo en cuenta que dicho considerando en su parte final recoge una amplia definición de transportista[56] en la que queda incardinada la noción de empresa porteadora o transportista contractual[57].

Según la reflexión jurídica efectuada, para terminar, es necesario subrayar que no aconsejamos la subsunción de esta tipología de servicios de transporte de cabotaje en los calificados transportes nacionales puesto que la ejecución de servicios de transporte nacionales queda condicionada a determinados requisitos de establecimiento en dicho Estado, honorabilidad, matriculación de los vehículos, nave o aeronaves con arreglo a la legislación del Estado miembro de la prestación de los servicios nacionales, inscripción de la sociedad mercantil en el Estado miembro del lugar de establecimiento, la obligación de poseer y demostrar una capacidad financiera apropiada, hacer frente a las obligaciones financieras a lo largo del ejercicio contable anual, disponer de un pabellón o cochera y el deber de que la empresa porteadora o transportista demuestre en todo momento mediante una llevanza adecuada de las cuentas anuales y su depósito que dispone para cada año de capital y reservas por un importe total mínimo según el número de vehículos pesados con los que cuenta.

Esto conllevaría que para la realización o materialización de los actuales servicios de cabotaje, subsumidos ya en la categoría de nacionales, la empresa transportista o porteadora se vería sometida a la obtención de una Licencia comunitaria única por el Ministerio de Fomento correspondiente, a la obtención de una autorización habilitante y al cumplimiento de los requisitos de establecimiento, financieros y mercantiles expuestos en cada uno de los Estados miembro de la Unión en los que se desease efectuar servicios de transporte nacionales o internos[58]. Lo que supondría una inversión desmedida para el mantenimiento de dicha actividad, desincentivando la competencia en el sector del transporte, incrementándose los precios del

56. Véase el Informe elaborado por Giullano, M. y Lagarde, P., «Informe sobre la ley aplicable a las obligaciones contractuales», *DOCE*, diciembre 1992, núm. 327, pp. 14-21.
57. Sobre esta cuestión en particular puede verse a Emparanza Sobejano, A., «La delimitación de la figura de porteador en el transporte», *El concepto de porteador en el transporte de mercancías*, Granada, Comares, 2003, pp. 93 y ss.
58. Véase, Solernou Sanz, S., *La ordenación jurídica del mercado de transporte de mercancías por carretera*, Cizur Menor, Aranzadi, 2018, pp. 247-267.

porte o billete, y quedando diluida la posibilidad de que una empresa porteadora europea con Licencia comunitaria pudiese efectuar servicios de transporte con lugar de origen y destino en un mismo país si éste no es el suyo propio cuando las partes intervinientes en el contrato estén localizadas en Estados miembro distintos dentro del territorio común europeo.

Sin embargo, expuesto lo que antecede, no puede obviarse que en el ordenamiento jurídico de la Unión Europea coexiste una triple tipología de servicios de transporte a efectuar con su correspondiente calificación. La calificación de transporte de cabotaje es una tipología de transporte que se acuña en el seno de la Comunidad Europea, hoy Unión Europea, y coexiste como advertimos para el territorio de la Unión con los denominados transportes nacionales y transportes internacionales.

Sin duda, esta tipología de transporte es una invención del legislador y la legisladora de la Unión Europea para ofrecer respuesta a los deseos crecientes de los Estados miembros de la UE de no ceder mayores competencias a las instituciones europeas en materia de transporte y liberalización del sector[59].

Desde luego hemos fracasado como Unión en esta cuestión puesto que el mantenimiento de la triple calificación de los tipos de transportes a efectuar en el seno de la UE responde única y exclusivamente a un sector de transporte que nunca fue liberalizado y para el cual no se garantiza hasta el momento la total y libre prestación de servicios.

59. Sobre la cuestión, entre otros: Belintxon Martín, U., «La confluencia de los distintos bloques normativos aplicables en materia de transporte internacional por carretera: divergencias y efecto distorsionador», *op. cit.*, nota 6, pp. 15-20.

Capítulo 6

Una reflexión desde el derecho internacional privado sobre la acción directa regulada en la Disposición Adicional Sexta de la LOTT y su proyección sobre el transporte internacional sometido al CMR

SUMARIO: 1. CONSIDERACIÓN INICIAL. 2. LA CONFIGURACIÓN NORMATIVA EN EL ORDENAMIENTO JURÍDICO ESPAÑOL DE LA ACCIÓN DIRECTA APLICABLE AL TRANSPORTE DE MERCANCÍAS POR CARRETERA Y EL REFERENTE DEL DERECHO COMPARADO.

1. CONSIDERACIÓN INICIAL

La doctrina mercantilista viene de un tiempo a esta parte reflexionando sobre la configuración de la acción directa por el impago de portes consagrada en la Disposición Adicional Sexta de la Ley 9/2013 de 4 de julio[1] por la que se modifica LOTT[2], que posibilita a los transportistas o porteadores efectivos dirigir una acción de reclamación por impago de portes contra todos aquellos que les hubieran precedido en la cadena de subcontrata-

1. Ley 9/2013, de 4 de julio (BOE núm. 160, de 5/07/2013).
2. Ley 16/1987, de 30 de julio, de Ordenación de los Transportes Terrestres (BOE núm. 182, de 31/07/1987).

ción[3], y su proyección sobre los transportes terrestres internacionales de mercancías por carretera normativizados o regulados por el Convenio CMR de 1956[4]. En efecto, las virtualidades o potencialidades de la citada norma, que ampara la referida acción procesal para reclamar el pago del porte no satisfecho, permiten al porteador o transportista efectivo reclamar tanto frente al remitente o cargador contractual (que será quien haya celebrado el contrato de transporte en origen), como frente a todos aquellos actores que hayan precedido al referido porteador efectivo en la cadena de subcontratación (como por ejemplo el porteador o transportistas contractual). Sin embargo, quedan determinadas cuestiones por perfilar, o cuanto menos sobre las cuales disertar relacionadas con lo imperativamente regulado por el citado texto internacional, sus lagunas o ausencias de normativización, el papel fundamental que juega el Reglamento Roma I para la concreción de la ley aplicable al contrato de transporte terrestre internacional de mercancías por carretera y la extensión de la aplicación de la acción directa que pudiera corresponder, la posible calificación de la acción directa como ley de policía (no como cuestión de orden público nacional ni internacional), y el papel a jugar, en su caso, por la prueba del Derecho extranjero en la aplicación de la ley de un ordenamiento jurídico que contenga la acción directa aplicable al transporte terrestre por carretera en otro.

Desde luego, la normativización de esta acción en la legislación española del transporte terrestre supuso una novedad elocuente por su inexistencia en la legislación nacional (conscientes de la configuración de la acción directa consagrada en la lectura conjunta de los artículos 1596 y 1597 del Código Civil para los arrendamientos de obra[5]). No así, a nivel comparado, puesto que no era extraña esta figura en los ordenamientos jurídicos de nuestro entorno que como el francés o el italiano ya configuraban tal espe-

3. Disposición adicional sexta Acción directa contra el cargador principal en los supuestos de intermediación: En los supuestos de intermediación en la contratación de transportes terrestres, el transportista que efectivamente haya realizado el transporte tendrá acción directa por la parte impagada, contra el cargador principal y todos los que, en su caso, le hayan precedido en la cadena de subcontratación, en caso de impago del precio del transporte por quien lo hubiese contratado, salvo en el supuesto previsto en el artículo 227.8 del texto refundido de la Ley de Contratos del Sector Público, aprobado por el Real Decreto Legislativo 3/2011, de 14 de noviembre.

4. Instrumento de Adhesión de España al Convenio relativo al Contrato de Transporte Internacional de Mercancías por Carretera (C. M. R.), hecho en Ginebra el 19 de mayo de 1956. BOE núm. 109, de 7 de mayo de 1974.

5. Artículo 1596: El contratista es responsable del trabajo ejecutado por las personas que ocupare en la obra. Artículo 1597: Artículo 1597: Los que ponen su trabajo y materiales en una obra ajustada alzadamente por el contratista, no tienen acción contra el dueño de ella sino hasta la cantidad que éste adeude a aquél cuando se hace la reclamación. GACETA de 25 de Julio de 1889.

cial acción para aplicar al transporte terrestre en sus correspondientes normativas: el artículo 132-8 del Code de commerce francés[6] que vino a introducirse mediante la calificada como loi Gayssot y que debe interpretarse de manera conjunta con el artículo L 3224-1 del Code des transports[7]; y el artículo 7 del Decreto Legislativo 21 de novembre 2005, n.286 sobre Disposizioni per il riasseto normativo in materia di liberalizzazione regolata dell`esercizio dell`attivita`di autotasportatore[8].

Expuesto lo que antecede, afloran determinadas precisiones que deben efectuarse en relación al contexto de aplicación de la acción directa en el transporte internacional de mercancías terrestre por carretera. En primer lugar, como es bien sabido una de las cuestiones más controvertidas y la principal preocupación para las empresas operadoras del sector trae razón de ser en el abono o pago del precio del transporte o porte. Sin duda la necesidad de recibir los emolumentos tras la materialización del trabajo es

6. Article L132-8. Version en vigueur depuis le 21 septembre 2000: La lettre de voiture forme un contrat entre l'expéditeur, le voiturier et le destinataire ou entre l'expéditeur, le destinataire, le commissionnaire et le voiturier. Le voiturier a ainsi une action directe en paiement de ses prestations à l'encontre de l'expéditeur et du destinataire, lesquels sont garants du paiement du prix du transport. Toute clause contraire est réputée non écrite. https://www.legifrance.gouv.fr (Version en vigueur au 17 février 2023).

7. S'il n'exécute pas un contrat de transport avec ses propres moyens, le transporteur public routier de marchandises peut le sous-traiter, pour tout ou partie, à une autre entreprise de transport public routier de marchandises sous sa responsabilité.Le transporteur public routier de marchandises ne peut recourir à la sous-traitance que s'il a la qualité de commissionnaire de transport au sens du 1° de l'article L. 1411-1 ou dans des cas exceptionnels définis par décret en Conseil d'Etat. Les responsabilités du transporteur routier qui recourt à la sous-traitance sont celles prévues par le code de commerce pour les commissionnaires de transport.Le contrat de sous-traitance est soumis à l'ensemble des règles et conditions applicables au transport public de marchandises. La rémunération du transporteur principal est calculée conformément aux règles applicables aux contrats d'affrètement conclus par les commissionnaires de transport régis par les dispositions de la section 2 du chapitre II du titre III du livre IV de la première partie. https://www.legifrance.gouv.fr (Version en vigueur au 17 février 2023).

8. Art. 7-ter. (Disposizioni in materia di azione diretta: 1. Il vettore di cui all'articolo 2, comma 1, lettera b), il quale ha svolto un servizio di trasporto su incarico di altro vettore, a sua volta obbligato ad eseguire la prestazione in forza di contratto stipulato con precedente vettore o direttamente con il mittente, inteso come mandante effettivo della consegna, ha azione diretta per il pagamento del corrispettivo nei confronti di tutti coloro che hanno ordinato il trasporto, i quali sono obbligati in solido nei limiti delle sole prestazioni ricevute e della quota di corrispettivo pattuita, fatta salva l'azione di rivalsa di ciascuno nei confronti della propria controparte contrattuale. E' esclusa qualsiasi diversa pattuizione, che non sia basata su accordi volontari di settore). (4). https://www.normattiva.it/uri-res/N2Ls?urn:nir:stato:decreto.legislativo:2005;286. Testo in vigore dal: 12-8-2010.

para las empresas transportistas un elemento clave para que una corporación de estas características (mayoritariamente en la Unión Europea transportistas autónomos, pequeñas y medianas empresas transportistas), pueda mantener y seguir desarrollando su actividad comercial. La legisladora nacional de determinados países europeos como Francia, Alemania, España e Italia han intentado prever continuamente determinados mecanismos especiales en sus legislaciones nacionales para reforzar la satisfacción de la obligación de pago por la materialización del servicio de transporte contratado. La primera de estas medidas ha pasado por establecer en las normas nacionales la atribución general de la obligación del pago del porte a la persona o empresa remitente o cargadora de la mercancía, aunque éste le hubiera correspondido por pacto, contrato o acuerdo, al destinatario, posicionando con ello al cargador o remitente en una suerte de garante de la obligación de pago. Cuestión bien distinta es que en la práctica real de la actividad el impago del porte no viene a producirse hasta pasados 30 o 60 días de la entrega material de las mercancías[9].

Situación que dificulta sobremanera en los tiempos actuales en los que el debate principal pivota sobre la sostenibilidad económica en el ámbito del transporte, las medidas de ahorro, la eficiencia energética, el acceso al crédito, la inflación, la reducción de la dependencia energética de los combustibles fósiles ante los evidentes retos de futuro que ha planteado la invasión rusa de Ucrania, y en muchas ocasiones la contratación a pérdidas de los servicios de transporte. En efecto, las principales reivindicaciones del sector han venido de la necesidad de actualizar los portes en consonancia con la subida del gasóleo, la restricción del pago del transporte de forma aplazada, la necesidad de promocionar el sector con la finalidad de conseguir mano de obra cualificada en un ámbito clave del comercio internacional, la necesidad de prohibir la contratación a pérdidas en el sector del transporte así como la generalización de la contratación por escrito en el transporte de mercancías[10] y, en los últimos años, en la necesidad de que se consolide la doctrina jurisprudencial y académica que se posiciona en favor de proyectar la aplicación de la acción directa por parte de la empresa por-

9. Respecto a esta y otras cuestiones, Emparanza Sobejano, A., «Obligación de pago del porte y consecuencias de su incumplimiento», *Revista de derecho del transporte: Terrestre, marítimo, aéreo y multimodal*, núm. 6, 2010 [Ejemplar dedicado a: La Ley 15/2009, de 11 de noviembre, del contrato de transporte terrestre de mercancías (LCTTM)], pp. 215-232.

10. Piñoleta Alonso, L. M., «El contrato de transporte terrestre de personas: Fundamentos de su régimen jurídico, elementos y contenido», en Menéndez, P. (Dir.), *Régimen Jurídico del Transporte Terrestre: Carreteras y Ferrocarril*, Tomo II, Cizur Menor, Aranzadi, p. 856; Josserand, L., *Les Transportes en service intérieur et en service international*, 2.ª ed., París, Rousseau, 1926, p. 1.

teadora efectiva frente a la cargadora y demás sujetos o empresas que le han precedido en la cadena de contratación, o subcontratación, sobre el transporte internacional.

Fiel reflejo de algunos de los debates reseñados ha sido la promulgación en el ordenamiento jurídico español del reciente Real Decreto-ley 14/2022, de 1 de agosto, de medidas de sostenibilidad económica en el ámbito del transporte, en materia de becas y ayudas al estudio, así como de medidas de ahorro, eficiencia energética y de reducción de la dependencia energética del gas natural[11]. Una norma que recoge ciertas modificaciones muy reseñables de la Ley 15/2009, de 11 de noviembre, del contrato de transporte terrestre de mercancías (LCTTM)[12], de la LOTT, y del Real Decreto-ley 3/2022, de 1 de marzo, de medidas para la mejora de la sostenibilidad del transporte de mercancías por carretera y del funcionamiento de la cadena logística, y por el que se traspone la Directiva (UE) 2020/1057, de 15 de junio de 2020, por la que se fijan normas específicas respecto a la Directiva 96/71/CE y la Directiva 2014/67/UE para el desplazamiento de los conductores en el sector del transporte por carretera, y de medidas excepcionales en materia de revisión de precios en los contratos públicos de obras[13].

Así, son especialmente significativas las modificaciones que articula por un lado de los artículos 10 bis, 13 y 16 de la LCTTM, así como de Disposición adicional novena, por otro, de los artículos 140.42, 141.17, 141.28, 141.29, 141.30 y 143.1 de la LOTT, y finalmente de la Disposición adicional primera del Real Decreto-Ley 3/2022, de 1 de marzo. Téngase en cuenta que todas ellas son normas aplicables ante la ausencia de regulación de determinados extremos que puedan afloran en el CMR para los transportes internacionales siempre y cuando la ley española sea de aplicación al concreto contrato de transporte internacional según lo preceptuado por los artículos 3 y 5.1 del Reglamento Roma I.

De esta manera, debe advertirse en primer lugar que la modificación proyectada sobre el artículo 10 bis de la LCTTM viene a configurar la expedición de la Carta de Porte en aquellos contratos celebrados por el transportista o porteador efectivo[14] como de carácter obligatorio, con efectos probatorios y siempre y cuando el precio del transporte sea superior a 150

11. BOE núm. 184, de 2 de agosto de 2022.
12. Arias Varona, F. J. y Recalde Castells, A., «Medidas de urgencia en el ámbito del contrato de transporte de mercancías por carretera», *RDT, Revista de Derecho del Transporte*, núm. 29, 2022, pp. 13-34.
13. BOE núm. 52, de 2 de marzo de 2022.
14. Emparanza Sobejano, A., «La delimitación de la figura de porteador en el transporte», *El concepto de porteador en el transporte de mercancías*, Granada, Comares, 2003, pp. 93 y ss.

euros, quedando así configurada como una subespecie de documento de control para su constatación por parte de las autoridades administrativas. Me explico, genera muchas dudas la defensa de una interpretación extensiva de lo dispuesto en el artículo 10 de la LCTTM para configurar la expedición de la carta de porte en los supuestos citados como obligatoria, puesto que el contrato de transporte de mercancías por carretera, tanto en su modalidad nacional como internacional, es un contrato consensual, sinalagmático, no formal, oneroso y de resultado, por lo que esta interpretación restrictiva no concuerda ni con el propio artículo 10 de la LCTTM ni con el artículo 4 del CMR que proyectan la Carta de Porte única y exclusivamente como documento probatorio de la existencia del contrato de transporte, no suponiendo su ausencia, irregularidad o pérdida la inexistencia del contrato ni su validez que seguirá quedando sometido a las normas de Derecho privado mercantil y comerciales nacionales e internacional en vigor. Cuidado, esto no obsta para que, en su caso, pudiera haberse proyectado tal exigencia imperativa en una norma no mercantil, es decir, por ejemplo, en la LOTT, como norma de ordenación de los transportes terrestres.

En efecto, es indudable que la especial vulnerabilidad de los porteadores o transportistas efectivos que quedan en la inmensa mayoría de los contratos de transporte de mercancías por carretera (internacionales y nacionales), a merced de los deseos y caprichos de las empresas cargadoras, intermediarias, transportistas contractuales o destinatarias requerían de una medida imperativa de estas características, pero esto debe materializarse con especial sensibilidad en este especial sector comercial compuesto de un gran elenco de normas dispositivas donde la autorregulación tiene un papel fundamental, y por lo tanto, esta modificación debía haberse configurado como medida de control, única y exclusivamente localizada en la LOTT y para su fiscalización por las autoridades administrativas y públicas con potestad sancionadora.

El mismo error se comete en la configuración actual del artículo 16 de la propia LCTTM que viene a obligar a que los contratos de transporte continuado se formalicen por escrito y con mención expresa al precio. Padece por lo tanto la misma anomalía que la modificación anterior y no debiera haberse ubicado esta norma en la LCTTM sino más bien, y en su caso, en la LOTT y en su reglamento de desarrollo ROTT requiriéndose de la incorporación de este tipo de reseñas o cuestiones en un documento de control para su control y/o fiscalización por las autoridades administrativas con potestad sancionadora. No se debiera haber constreñido la configuración de este tipo de contratos desplazándose o descartándose los contratos verbales con confirmación escrita, que ha sido lo habitual, máxime cuando una de las características principales clásicas de este contrato es precisamente que es no formal. Fíjense la llamativa configuración, y cuanto menos contradicción de lo dispuesto por los párrafos 1 y 2 del epígrafe 1 del artículo 16, al indicar que:

> [...] **El contrato de transporte continuado se formalizará por escrito**[15], con efectos probatorios, y deberá reflejar el precio como mención obligatoria.
>
> **La ausencia de formalización por escrito o la no inclusión del precio no producirá la inexistencia o la nulidad del contrato**[16].

Es decir, si es obligatoria la formalización por escrito ¿cuál es el sentido del segundo párrafo del artículo 16 actual? Desde luego la configuración normativa previa del artículo 16 era clara y no contraria a los principios jurídico-contractuales más elementales.

> [...] El contrato de transporte continuado se formalizará por escrito cuando lo exija cualquiera de las partes.

Desde luego una vez más la legisladora y el legislador nacional reflejan una patente y extremada des-especialización en materia de transporte y Derecho del transporte en la configuración de este tipo de materias, legislando sin mesura, en contra del sentido más común y sobre todo distorsionando a los operadores que se encuentran con normas que no permiten consolidar la necesaria seguridad jurídica de un ámbito dinámico y estructural esencial para el desarrollo del resto de sectores comerciales e industriales. Esperemos que para el Derecho del transporte en breve se vuelva a la senda legislativa y normativa de la especialización.

Finalmente, y respecto a la nueva Disposición adicional novena de la LCTTM que trata sobre la determinación del coste efectivo individual de prestación del transporte por el porteador efectivo, nuevamente hay que subrayar que adolece del mismo problema. En este caso, sí que es una norma coherente con las necesidades del sector y necesaria para evitar o reducir las actuaciones contrarias al Derecho de la competencia (evitación de la fijación de precios por zonas geográficas) y también en materia de competencia desleal (competencia destructiva con cobro de portes por debajo de coste). Es una medida necesaria para todo el sector, aunque la configuración dada se circunscribe única y exclusivamente a los porteadores efectivos y requiere de una lectura conjunta o combinada con el artículo 10 bis.1.g[17] de tal manera que la validez y obligatoriedad de la estructura de partidas de

15. Negrita nuestra.
16. Negrita nuestra.
17. Artículo 10.1.g: Precio convenido del transporte, así como el importe de los gastos relacionados con el transporte previstos en el artículo 20, salvo que consten en otro

costes del observatorio de costes del transporte de mercancías por carretera elaborado por el Ministerio de Transportes, Movilidad y Agenda Urbana es únicamente proyectable sobre los contratos celebrados por porteadores efectivos imponiéndose que el precio y los gastos relacionados con el transporte deben cubrir la totalidad de los costes efectivos individuales asumidos por el transportista en su prestación del servicio. No obstante, debiera haberse configurado como parte de la LOTT y su aura como norma de ordenación del sector.

Por otro lado, y en relación ya a las modificaciones materializadas por el referido Real Decreto-ley sobre la LOTT según la nueva redacción del artículo 140.42 para los contratos no continuados, es decir aquellos referidos a un único envío, el pago al transportista efectivo de un precio menor o inferior a la totalidad de los costes efectivos individuales asumidos por él, será castigado como infracción del cargador contractual y sancionado con multa de 2001 euros a 4000 euros según lo dispuesto en el artículo 143.1 de la propia LOTT. En este caso, la ubicación del precepto es acorde a la norma donde queda ubicado, aunque será necesario valorar la incidencia de tal medida en el sector y el impacto que esto tenga en la utilización de la subcontratación del transporte con el potencial negativo reflejo que esto pudiera tener para los pequeños y medianos porteadores que son subcontratados por grandes superficies, grandes cargadoras, remitentes, destinatarias, intermediarias y porteadoras contractuales tanto nacionales como internacionales.

Respecto a los anteriormente tratados artículos 10 bis y 16 de la LCTTM debe indicarse que la LOTT ha incorporado sendos preceptos dedicados a la no formalización de la carta de porte o el contrato de transporte continuado por escrito (artículo 141.28 LOTT) y a la no inclusión del precio de transporte en la carta de porte u otros documentos contractuales (artículo 141.29 LOTT). Ambas cuestiones son consideradas como infracciones y conllevan la correspondiente sanción. Así para la infracción de lo dispuesto en el artículo 141.28 sobre la no formalización de la carta de porte o contrato de transporte continuado por escrito, la sanción con multa discurre en una horquilla que va desde los 1001 euros hasta los 2000 euros. Respecto a la infracción de lo dispuesto en el artículo 141.29 sobre la no inclusión del precio en la carta de porte u otros documentos contractuales la sanción de

---

documento contractual por escrito. El precio y los gastos relacionados con el transporte deberán cubrir el total de costes efectivos individuales incurridos o asumidos por el porteador para su prestación.

multa discurre desde los 601 hasta los 800 euros. Habrá que observar y valorar con el tiempo la utilidad de esta medida disuasoria[18].

2. LA CONFIGURACIÓN NORMATIVA EN EL ORDENAMIENTO JURÍDICO ESPAÑOL DE LA ACCIÓN DIRECTA APLICABLE AL TRANSPORTE DE MERCANCÍAS POR CARRETERA Y EL REFERENTE DEL DERECHO COMPARADO

La clásica conformación doctrinal de la clasificación del contrato de transporte terrestre nos lleva a ubicar a éste en el radio de acción, como subgénero, del contrato de arrendamiento de obra. Sin embargo, la legisladora y el legislador de la Unión Europea colocan a éste, para diversas normas europeas clave, en el universo de los contratos de prestación de servicios posibilitando con ello un trato mucho más especializado que el ofrecido por la legislación nacional española mediante su impregnación en los referidos contratos de arrendamiento de obra. Un contrato de transporte que combina la doble obligación cada vez más cualificada de puesta a disposición de medios y la consecución de un resultado en el que inciden otros factores elementales como la seguridad y los aspectos socio-laborales.

El mercado europeo del transporte terrestre de mercancías por carretera tiene hasta la fecha una predilección significativa por la participación de diversos porteadores en la consecución de la prestación de servicios en un contrato de transporte terrestre de mercancías para las medias y largas distancias (no siendo tan característico en las distancias más cortas o menores). En efecto, la subcontratación es sin duda un medio recurrente para cargadores, remitentes, intermediarios, transportistas, comisionistas, destinatarios y porteadores contractuales. Es decir, una empresa cargadora materializa un contrato de transporte con un porteador (porteador contractual) que no ejecuta con sus recursos propios, materiales y humanos el servicio de transporte y delega su ejecución a uno o varios porteadores efectivos para que se hagan cargo de la totalidad o parte del trayecto a realizar desde el lugar de origen al lugar de destino convenido contractualmente para la entrega de la mercancía. Esto no obsta, para que evidentemente la responsabilidad del porteador contractual no se diluya respecto a su cargador en origen.

Las bondades o perversiones de este sistema traen su razón de ser en la estructura del mercado europeo o de la Unión Europea del transporte terrestre de mercancías que hace gala de uno de los parques móviles más

18. Sobre la constante y continua intervención administrativa en el sector del transporte: Agoués Mendizabal, C., «La intervención administrativa en el transporte por carretera», *RDT*, núm. 7, 2011, pp. 51-92.

modernos del mundo, pero que también representa un modelo muy competitivo compuesto de una importante cantidad de empresas transportistas o porteadores que compiten en un mismo mercado. Muchas de ellas empresas operadoras de reducido tamaño, que a pesar de dicha dimensión pueden ofrecer servicio o competir a mayor escala mediante la activación de una multitud de instrumentos jurídicos que permiten aunar fuerzas para revestir de un mayor músculo en materia de medios personales y materiales a aquellas empresas que confluyan mediante sinergias a la hora de ofertar un concreto servicio de transporte continuado, o no, en el tiempo (nos referimos a la unión de empresas porteadoras de menor tamaño en torno a figuras jurídicas como la Unión Temporal de Empresas, las Joint Venture o las Agrupaciones Europeas o no de Interés Económico que permitirían auxiliarse entre sí a las entidades de menor tamaño que las configuran y así competir en el mercado nacional y europeo con una mayor dimensión).

En la figura de la subcontratación el porteador o transportista que ha recibido el encargo para la ejecución del servicio de transporte lo asume, pero se posiciona como porteador contractual encomendando la materialización del servicio a otras empresas transportistas o porteadoras (las porteadoras efectivas). Esta figura del porteador contractual permite a la empresa asumir un mayor número de transportes sin disponer de una gran flota de vehículos propia para ejecutar los transportes de mercancías (cuestión que posibilita a su vez la reducción de los costes fijos: salariales, materiales, gasóleo, desgaste de neumáticos, pago de peajes, etc.), mediante la contratación de empresas porteadoras que ejecuten el servicio de forma efectiva y a las que se les abonará un menor importe por el transporte efectuado respecto al importe del contrato original.

Sin duda la reducida dimensión de un porcentaje muy alto de las operadoras transportistas europeas de la Unión promueve este tipo de subcontratación de servicios de forma masiva donde todos los operadores han jugado a ello puesto que la dimensión de la empresas no es reflejo automático de lo bien situadas, relacionadas o interrelacionadas, que puedan estar tanto para la ejecución efectiva de los servicios de transporte ofertados, como para la intermediación de este tipo de contratos constando como porteador contractual pero subcontratando la efectiva materialización del servicio con un transportista efectivo. Y esto, muy sinceramente, a nosotros no nos parece una desventaja puesto que como hemos señalado existen instrumentos o mecanismos jurídicos sugerentes y plenamente aplicables para mediante la unión de fuerzas y recursos competir en un mercado más amplio. Cuestión bien distinta es la necesidad de armonizar las normas fiscales y socio-laborales aplicables al sector equiparando así costes salariales y evitar con ello la situación de vulnerabilidad contractual en la que se encuentran los transportistas efectivos respecto a intermediarios, cargadores, remitentes, destinatarios o empresas porteadoras contractuales. Es evidente que si el cargador es una multinacional textil radicada en la mayor parte de los países del mundo reconocidos por las Naciones Unidas la empresa transportista no es la parte fuerte de la relación contractual, sino más bien la parte débil. Esto no obsta tampoco para que las legisladoras y legisladores europeos, internacionales y nacionales puedan establecer o fijar los parámetros jurídicos para desterrar la preocupante práctica de depreciación del valor de este tipo de actividades comerciales.

Hasta la aparición de la acción directa especializada para el sector del transporte terrestre de mercancías por carretera regulada mediante la Disposición Adicional Sexta de la Ley 9/2013 de 4 de julio el porteador efectivo se encontraba a medio camino entre el limbo jurídico o la posibilidad de acogerse a lo dispuesto por el artículo 1597 del CC siempre que la ley española fuese de aplicación al contrato de transporte internacional correspondiente. Una norma, la recogida en el 1597 CC, que reconoce la acción directa a aquellos que ponen su trabajo y materiales a disposición del contratista para reclamar al dueño hasta la cantidad que éste adeude al contratista cuando se realiza la reclamación. En efecto, como puede apreciarse de la configuración del precepto debe resaltarse que el crédito debe ser cierto, exigible y provenir del contrato por el cual el subcontratista ha materializado su tarea. Siendo que la acción a interponer puede ejecutarse de manera solidaria y simultáneamente contra el dueño de la obra que pudiera corresponder y el contratista[19].

Un precepto trasladado, y reforzado por doctrina jurisprudencial y académica, del ámbito del contrato de arrendamiento de obra al universo del transporte de mercancías debiéndose interpretar de tal manera que el porteador efectivo que ejecuta un transporte encargado por transportista contractual podrá exigir el pago del porte debido al cargador, o remitente, de la relación original cuando el porteador contractual no se lo hubiere liquidado.

19. Entre otras muchas STS de 24 de abril de 2013, ECLI:ES:TS:2013:2077. Fundamento de Derecho Segundo: [...] La jurisprudencia ha efectuado una interpretación del artículo 1597 CC en el sentido de concebirla como una acción directa, que se puede ejercer contra el comitente o contra el contratista o subcontratista anterior, o frente a todos ellos simultáneamente, al estar afectados y obligados en la relación contractual instaurada, que de esta manera se proyecta al comitente y, en tal caso, la responsabilidad de éste y del contratista es solidaria, [...] señalando que no se trata de una acción sustitutiva, por lo que cabe ejercitarla sin reclamar previa o simultáneamente al contratista [...].

Como puede apreciarse la configuración de tal precepto tiene un límite, cual es que es condición necesaria para activar la acción directa configurada por el artículo 1597 del CC que cumulativamente aflore que el porteador efectivo no haya recibido el pago del porte del porteador contractual, y que el remitente o cargador original no haya abonado el porte al transportista contractual.

Expuesto el antecedente más inmediato debe reconocerse que la acción directa consagrada en la referida Disposición Adicional Sexta de la Ley 9/2013 de 4 de julio fue fruto de intensos debates parlamentarios sobre la configuración y el alcance de tal instrumento jurídico. También después el debate jurídico doctrinal, académico y jurisprudencial, ha sido intenso y constante. Uno de los debates más acalorados sobre la materia ha sido el referente a su inclusión en la LOTT en detrimento de la LCTTM que hubiese sido su lugar más natural (a no ser que otro tipo de pretensiones quedasen implícitas detrás de su ubicación en la referida norma de ordenación del sector).

Sea como fuere, la normativización y concreción de dicha acción supuso, por su especialidad, una novedad en el panorama legislativo español, quedando expresamente la configuración de dicha acción en la referida Disposición Adicional Sexta reflejada de la siguiente manera [...] En los supuestos de intermediación en la contratación de transportes terrestres, el transportista que efectivamente haya realizado el transporte tendrá acción directa por la parte impagada, contra el cargador principal y todos los que, en su caso, le hayan precedido en la cadena de subcontratación, en caso de impago del precio del transporte por quien lo hubiese contratado[20], salvo en el supuesto previsto en el artículo 227.8 del Texto Refundido de la Ley de Contratos del Sector Público, aprobado por el Real Decreto Legislativo 3/2011, de 14 de noviembre.

Sin duda la configuración normativa de esta acción es una vía o solución de carácter excepcional a disposición de las empresas porteadoras efectivas para ampliar sus opciones de cobro del precio del transporte al permitir que el impago del porte se reclame no sólo contra la parte contractual que les ha solicitado la prestación del servicio, sino que también contra todas aquellas personas físicas o jurídicas que les hayan precedido en la cadena de subcontratación, incluido el cargador contractual principal de la relación original.

20. Górriz Lopez, C., *La responsabilidad en el contrato de transporte de mercancías (carretera, ferrocarril, marítimo, aéreo y multimodal)*, Bolonia, Publicaciones del Real Colegio de España, 2001, p. 390.

Una acción que tal y como podemos observar de su redacción ostenta un carácter imperativo u obligatorio para las partes de la relación contractual de transportar. Pero es que además de la literalidad del precepto, la ubicación de dicha disposición en una norma de ordenación del sector de carácter público e imperativo, como es la LOTT, la hace de obligatorio cumplimiento para todos los participantes del mercado[21].

Tal y como puede apreciarse de su redacción se trata de una acción únicamente activable, desde una perspectiva procesal, por parte del empresario porteador que de manera efectiva a ejecutado el transporte. En efecto, la legitimación activa para plantear la correspondiente acción única y exclusivamente le corresponde a la persona, física o jurídica, que ha prestado los servicios de transporte de una manera material o efectiva. La finalidad u objeto para la incorporación al ordenamiento jurídico español de este instrumento o herramienta jurídica es clara e inequívoca, proteger a la parte más débil de los intervinientes en la cadena de subcontratación para los servicios de transporte de mercancías terrestres por carretera. Es decir, la empresa transportista efectiva.

Por otro lado, como se desprende del propio precepto estamos ante una acción que puede dirigirse tanto conta la cargadora contractual del transportista o porteador, como contra los restantes intervinientes que con anterioridad al porteador efectivo se encuentren en la cadena de subcontratación del transporte. En efecto, la acción se configura de una forma amplia extendiendo la legitimación pasiva a todas las operadoras que han posibilitado la realización del transporte por el porteador efectivo, aunque debe también advertirse que de una manera más restringida que la acción directa normativizada en el ordenamiento jurídico francés.

Nos explicamos, la configuración de la acción directa regulada en el citado artículo 132-8 del Code de commerce francés viene expresamente a indicar que [...] La lettre de voiture forme un contrat entre l'expéditeur, le voiturier et le destinataire ou entre l'expéditeur, le destinataire, le commissionnaire et le voiturier. Le voiturier a ainsi une action directe en paiement de ses prestations à l'encontre de l'expéditeur et du destinataire, lesquels sont garants du paiement du prix du transport. Toute clause contraire est réputée non écrite.

21. Emparanza Sobejano, A., «La acción directa del transportista efectivo por impago de portes contra los contratantes del servicio de transporte», en Morillas Jarillo, M.ª J., Perales Viscasillas, M.ª P., Porfirio Carpio, L. J. (Dir.), *Estudios sobre el futuro Código Mercantil: libro homenaje al profesor Rafael Illescas Ortiz*, Getafe, Universidad Carlos III de Madrid, 2015, pp. 1326-1349.

En efecto, como pueden observar la configuración de la norma francesa permite su proyección también sobre el destinatario de las mercancías, por lo que las posibilidades de éxito y el elenco de los sujetos o intervinientes con legitimación pasiva se incrementa[22]. Un precepto amplio que queda a su vez reforzado por la doctrina jurisprudencial de la Cour de cassation francesa[23] y por la doctrina científica que advierte de manera inequívoca que ni cargador ni destinatario pueden oponerse a ella, ni siquiera esgrimiendo haber abonado el pago del precio al comisionista del transporte que incumple respecto al porteador efectivo[24].

Expuesto lo que antecede, uno de los debates de mayor calado e interés, también por la significación que tiene en su potencial proyección sobre el ordenamiento jurídico español y la acción directa recogida en nuestra norma interna, pivota en torno a la potencial aplicación, o no, de la acción directa configurada tanto en el ordenamiento jurídico francés como en el ordenamiento jurídico español en los transportes internacionales sometidos al Convenio CMR de 1956.

Ahora nos explicamos, no obstante, tampoco queremos dejar pasar la oportunidad de analizar, aunque sea de forma breve, la potencial aplicación de la acción directa francesa o la acción directa española en los calificados, y antes comentados, transportes de cabotaje.

La doctrina jurisprudencial y académica francesa enseguida atisbó la necesidad, la importancia y la posibilidad de extender la aplicación de la acción directa francesa a los transportes sometidos al Convenio CMR. La doctrina jurisprudencial y académico científica española ha sido más reticente a esto[25], sin embargo, los últimos pronunciamientos jurisprudenciales

22. Calme, S., «Le recours du transporteur routier sous-traitant dont le commissionnaire est insolvable –Analyse comparée en droit allemand, autrichien, belge, français, luxembourgeois et suisse», *Revue d'Allemagne et des pays de langue allemande*, núm. 46-1, 2014, p. 258.

23. Sobre ello, de manera muy detallada: Bon-Garcin, I. y Letacq, F., «La jurisprudence française sur l'action directe en paiment dans transport routier de marchandises», *Transidit*, núm. 41, 2004, pp. 1-5.

24. Bon-Garcin, I. y Letacq, F., «Las garantías de pago al transportista por carretera en el Derecho francés: «Acción directa» y Derecho de retención», *Actualidad jurídica del transporte por carretera. In memoriam F. M. Sánchez Gamborino*, Madrid, Fundación Francisco Corell, 2005, pp. 322-323.

25. Véase la contundencia con la que se muestran inadecuadamente en contra los magistrados especialistas de mercantil en las Conclusiones de las Jornadas de Magistrados Especialistas de Mercantil, celebradas en Pamplona los días 4, 5 y 6 de noviembre de 2015. p. 7 del documento. http://asociacionaspac.com/wp-content/uploads/2014/03/2015-11_CONCLUSIONES_JORNADAS_MAGISTRADOS_ESPECIALISTAS_MERCANTIL.pdf

que estamos pudiendo ver y analizar comienzan a variar su posicionamiento, algunos con más acierto que otros.

El gran debate jurisprudencial sobre la cuestión de la extensión de la aplicación de la acción directa francesa a los transportes internacionales de mercancías por carretera sometidos al CMR se dio en la sentencia de la Cour de cassation, civile, Chambre commerciale, 13 juillet 2010[26]. Un pronunciamiento que anuló la sentencia dictada el 8 de diciembre de 2009 por la Cour d´appel de Montpellier y que además de consolidar la extensión de la acción directa regulada en el referido artículo L 132-8 del Código de Comercio francés a los transportes internacionales sometidos al CMR bajo el amparo de lo regulado sobre ley aplicable a los contratos de transporte por el Reglamento Roma I, vino a despejar las dudas sobre si la acción directa francesa debía ser, o no, considerada como ley de policía a la luz de los dispuesto en el vigente artículo 9 del propio Reglamento Roma I.

La sala de lo Comercial de la Corte Suprema francesa, por cierto, muy especializada en esta materia de transporte, se posiciona muy correctamente en su pronunciamiento estableciendo criterios hermenéuticos extrapolables al ordenamiento jurídico español para diversas cuestiones tras la normativización de la acción directa por le Ley 9/2013 en la LOTT.

De la interpretación ofrecida por la Corte Suprema francesa debemos centrarnos por un lado, en su muy correcta interpretación sobre si la acción directa configurada en el citado precepto del ordenamiento jurídico francés debe calificarse, o no, como ley de policía, entendiéndose por esta una ley o disposición cuya observancia sea necesaria para la salvaguardia de sus intereses públicos, tales como la organización política, social y/o económica del país hasta el punto de regir imperativamente la concreta situación con independencia de cuál sea la ley aplicable al contrato en su proyección internacional.

La conclusión a la que llega la Corte Suprema francesa en este extremo es clara e inequívoca además de correcta, a pesar de lo referido en sentido contrario por la sentencia de la Cour d´appel de Montpellier, pues si bien es cierto que pudiera considerarse que la acción directa pretende proteger un claro interés público debido a la gran importancia económica del transporte y su carácter vertebrador respecto a un Estado[27], un país, o una Sociedad de naciones como es la UE, siendo además todo ello la esencia de un

26. https://www.legifrance.gouv.fr/juri/id/JURITEXT000022488595/
27. Huergo Lora, A. J., «La Política europea de transportes terrestres», Menéndez García, P. (Dir.), *Régimen Jurídico del Transporte Terrestre: Carreteras y Ferrocarril*, Tomo I, Cizur Menor, Aranzadi, 2014, pp. 381-393.

sistema común de transporte[28], no es menos cierto que la acción directa se configura con la finalidad de conferir a la empresa transportista o porteadora efectiva una acción de pago de sus servicios contra el cargador, remitente y/o el destinatario que quedan designados como sujetos garantes del pago del precio del porte o transporte.

Expuesto lo que antecede queremos también remarcar que no debe confundirse las leyes de policía con el orden público. Tal y como hemos indicado anteriormente y en palabras del propio Tribunal de Justicia de la Unión Europea las leyes de policía son [...] las disposiciones nacionales cuya observancia se ha considerado crucial para la salvaguardia de la organización política, social o económica del Estado miembro de que se trate, hasta el punto de hacerlas obligatorias para toda persona que se encuentre en el territorio nacional de ese Estado miembro o con respecto a toda relación jurídica localizada en él[29].

Sin embargo, la excepción de orden público es un elemento que podríamos calificar como «defensivo» que supone o conlleva [...] la excepción al normal funcionamiento de la norma de conflicto en cuya virtud se descarta la aplicación de la ley extranjera que resulta contraria a los principios fundamentales del Derecho del país cuyos juzgados y tribunales están conociendo del asunto y que garantiza la cohesión jurídica de la sociedad del país referido[30].

Hemos creído necesario aclarar la diferencia técnica entre una y otra figura puesto que en ocasiones han aflorado confusiones doctrinales que trataban una u otro figura como si de una misma se tratase, y por lo expuesto, es evidente que son cuestiones claramente diferencias[31].

Por otro lado, la segunda de las conclusiones reseñables a las que llega la referida sentencia francesa, y que hasta muy recientemente ha generado dudas en la doctrina científica y jurisprudencial española, ha sido la expresa referencia a la aplicación del Convenio de Roma de 1980, hoy Reglamento

28. Sobre el papel y la importancia del transporte y un sistema común de transporte, entre otras: STC 118/1996, de 27 de junio de 1996, (RTC 1996, 118) Aranzadi.
29. Entre otras, STJUE de 23 de noviembre de 1999, asuntos acumulados C-369/96, C-376/96. ECLI:EU:C: 1999:575.
30. Calvo Caravaca, A. L. y Carrascosas González, J., «El orden público internacional», *Tratado de Derecho Internacional Privado*, Tomo I, 2.ª Edición, 2022, Valencia, Tirant lo Blanch, p. 785.
31. Entre otras referencias doctrinales que confunden una y otra al citar el posicionamiento doctrinal mantenido por la Corte de Casación francesa: Gutiérrez Sanz, M.ª R., «La acción directa del porteador de hecho frente al cargador en el transporte terrestre nacional: aspectos procesales», *Revista de derecho del transporte: Terrestre, marítimo, aéreo y multimodal*, núm. 24, 2019, p. 65.

Roma I para determinación de la ley aplicable a las obligaciones contractuales como norma de conflicto de leyes por excelencia que viene a concretar, con el máximo de los respetos a lo regulado por el Convenio CMR de 1956, la ley aplicable a los contratos internacionales de transporte de mercancías por carretera. La citada resolución francesa acude directamente a concretar la aplicación en defecto de elección de ley aplicable de las normas contenidas en el Convenio de Roma de 1980 para el contrato de transporte referido, omitiendo, por su inexistencia, referencia a un acuerdo de elección de ley para regir el contrato de transporte (pero esto no obsta para que sea el primer elemento activable y a tener en consideración para los casos en los que exista).

Sin lugar a dudas, para aquellas cuestiones en las que el Convenio CMR guarda silencio absoluto, debemos acudir a las normas de Derecho internacional privado del ordenamiento jurídico que corresponda conectado con la relación contractual, y por suerte en la UE disponemos de la referida norma de conflicto de leyes por excelencia para la determinación de la ley aplicable a las obligaciones contractuales. No nos detendremos en demasía puesto que se ha tratado de manera amplia en un epígrafe anterior, no obstante simplemente recordaremos que en defecto de elección de ley según lo dictaminado por el artículo 3 del referido Reglamento Roma I, entrará en juego el artículo 5.1 del propio Reglamento Roma I para la determinación en defecto de ley aplicable al contrato para el transporte de mercancías de la ley del país donde el transportista tenga su residencia habitual, siempre y cuando el lugar de recepción o el lugar de entrega, o la residencia habitual del remitente, también estén situados en dicho país. Si no se cumplen estos requisitos, se aplicará la ley del país donde esté situado el lugar de entrega convenido por las partes.

Es decir, que en primer lugar el contrato se regirá por la ley elegida por las partes según el Reglamento Roma I, y si las partes eligen el derecho francés como aplicable, para aquello que no esté expresamente regulado en el Convenio CMR, por ejemplo, la acción directa, entrará en juego el artículo L 132-8 del Código de Comercio francés. Y esto será así con independencia del juzgado o tribunal competente para conocer de la acción según las normas para la determinación de la competencia judicial internacional reguladas en el artículo 31 del Convenio CMR de 1956. Es decir, que si los juzgados y tribunales franceses son los competentes para conocer de la acción por incumplimiento del pago del porte aplicarán derecho material francés, pero incluso si fueran competentes los juzgados y tribunales españoles estos deberán entrar a conocer del asunto según lo dispuesto por el derecho material francés puesto que como hemos advertido el Reglamento Roma I permite la elección de la ley aplicable al contrato y la aplicación del Reglamento tiene carácter universal o *erga omnes*. Lo mismo afloraría para los casos en los que no hubiere elección de ley y fuesen de aplicación la normas en defecto de elección de ley del artículo 5.1.

Por lo que el único argumento que cabría para no aplicar el derecho francés designado ya sea en base a la autonomía de la voluntad para la elección de la ley aplicable del artículo 3 del Reglamento Roma I, o de la ley aplicable en defecto de elección del artículo 5.1 de la misma norma, tendría que encajar en la excepción de orden público internacional español. Cuestión compleja de argumentar, más aún conscientes de que el ordenamiento jurídico español tiene normativizada la acción directa en la LOTT.

Eso sí, esto no obsta para que ante los juzgados y tribunales españoles deba probarse el Derecho extranjero en cuanto a su contenido y vigencia según lo dictaminado por el artículo 281.2 de la LEC. Y esto lo indicamos bien conscientes de que en la actualidad el juez y la jueza española dedicada a la materia pueden tener un exacto conocimiento del referido Derecho extranjero[32].

Parece como advertimos que la doctrina jurisprudencial española ha comenzado a seguir la senda abierta por la jurisprudencia francesa, así, entre otras sobre la aplicabilidad de la acción directa recogida en la LOTT a un contrato de transporte terrestre de mercancías por carretera amparado en el CMR y la entrada en juego del Reglamento Roma I, podemos ver, entre otros, los siguientes posicionamientos:

Así, el Fundamento de Derecho Segundo de la sentencia de la Audiencia Provincial de Bizkaia, Sección 4, de 27 de diciembre de 2021[33], aunque con cierto grado de confusión respecto a los puntos de conexión y a la aplicación del Reglamento Roma I (una sentencia cuasi mimética de la pronunciada por la misma Audiencia y Sección el 5 de julio de 2021[34]) viene a recoger expresamente que:

> [...] No desconocemos las posiciones contradictorias que plantea esta cuestión jurídica, si el impago que se produzca en los contratos de transporte internacional de mercancías por carretera sometidos al CMR, pueden ser objeto de reclamación a través de la acción directa. Así, una parte de la doc-

32. Entre otros sobre la materia: Fernández Rozas, J. C. y Sánchez Lorenzo, S., *Derecho Internacional Privado*, 11.ª edición, Cizur Menor, Civitas-Thomson Reuters, 2020, pp. 179-196; Calvo Caravaca, A. L. y Carrascosas González, J., «El orden público internacional», *Tratado de Derecho Internacional Privado*, Tomo I, 2.ª Edición, 2022, Valencia, Tirant lo Blanch, p. 785.
33. ECLI:ES: APBI: 2021:3605. Cendoj.
34. Véase Fundamento de Derecho Segundo. ECLI:ES: APBI: 2021:2280. Cendoj.

> trina científica defiende que la acción directa quedará excluida de los transportes internacionales sometidos al CMR por no incluir éste la posibilidad de ejercitarla.
>
> [...] En Francia, el alcance de dicha acción también se ha extendido a los transportes internacionales sometidos al CMR. Así, en el Cass Com. de 13 de julio de 2010, se ha considerado que la Ley Gayssot no es una norma de orden público y que, por tanto, sólo resultará aplicable cuando así se derive de las normas de remisión derivadas del Reglamento Roma I. Por tanto, si el derecho francés resulta aplicable por ser el transportista francés o por haberse realizado la carga o descarga de la mercancía en Francia, el transportista efectivo podrá ejercer la acción directa contra el cargador o el destinatario para obtener el cobro del porte que se le adeuda.
>
> [...] Ante esta disyuntiva, esta Sección Cuarta de la Audiencia Provincial de Bizkaia se inclina por considerar la aplicabilidad de la Disposición adicional 6.ª a los transportes regidos por el Convenio CMR.

Muchos más claro es el posicionamiento de la Audiencia Provincial de Barcelona, sección 15, de 25 de febrero de 2022[35] que en el Fundamento Jurídico segundo viene a recoger que:

> [...] En nuestra Sentencia de 22 de noviembre de 2021 [...] nos inclinamos por entender aplicable al transporte internacional de mercancías sujeto al CMR la acción directa regulada en la normativa nacional, siempre que esa normativa resulte de aplicación de acuerdo con las disposiciones del Reglamento (CE) núm. 593/2008 del Parlamento europeo y del Consejo de 17 de junio de 2008, sobre la ley aplicable a las obligaciones contractuales (Roma I). Y ello por cuento el Convenio CMR no regula todos los aspectos del contrato de transporte y, en concreto, la acción dirigida a reclamar el precio de los portes.
>
> [...] habremos de acudir a la norma nacional aplicable. En el marco de la Unión Europea, esa norma viene determinada por lo previsto en el art. 5.1 Reglamento (CE) núm. 593/2008 del Parlamento europeo y del Consejo de 17 de junio de 2008, sobre la ley aplicable a las obligaciones contractuales (Roma I), en el que se dice que: «1. En defecto de elección de la ley aplicable al contrato para el transporte de mercancías de conformidad con el artículo 3, la ley aplicable será la ley del país donde el transportista tenga su residencia habitual, siempre y cuando el lugar de recepción o el lugar de entrega, o la residencia habitual del remitente, también estén situados en ese país. Si no se cumplen estos requisitos, se aplicará la ley del país donde esté situado el lugar de entrega convenido por las partes».
>
> [...] Por lo tanto, salvo que las partes hayan pactado expresamente otro régimen, la norma nacional aplicable tanto al contrato como al subcontrato de

35. ECLI:ES: APB: 2022:1646. Cendoj.

transporte, es decir, la que rige las relaciones entre el porteador contractual y el efectivo, será la del país de residencia del transportista, en este caso España, siempre que la mercancía se haya recibido o entregado por el porteador efectivo en España. Así ha ocurrido en este caso, en el que el porteador efectivo es una compañía española y la mercancía se ha entregado en España.

> [...] La norma básica del contrato será la española, en concreto la Ley 15/2009, de 11 de noviembre, del contrato de transporte terrestre de mercancías y la DA 6.ª citada, puesto que el Convenio no regula todos sus aspectos.

Muy esclarecedor también el posicionamiento de la propia Audiencia Provincial de Barcelona, sección 15, de 22 de noviembre de 2022[36], que mantiene el criterio de la anterior sentencia referenciada al indicar expresamente en su Fundamento Jurídico Tercero que:

> [...] El contrato de transporte internacional se rige, primero, por el propio Convenio CMR, pero el CMR no regula todas las facetas del contrato de transporte. Por lo tanto, en todo lo que no esté regulado por este instrumento internacional, habremos de acudir a la norma nacional aplicable. En el marco de la Unión Europea, esa norma viene determinada por lo previsto en el art. 5.1 Reglamento (CE) núm. 593/2008 del Parlamento europeo y del Consejo de 17 de junio de 2008, sobre la ley aplicable a las obligaciones contractuales (Roma I) [...]

> [...] La aplicación de dicha norma no puede contradecir los términos imperativos del CMR, pero puede regular de forma diferente que otras leyes nacionales algunos elementos del contrato, como pueden ser la responsabilidad del cargador frente al porteador efectivo por el precio del transporte. En este sentido la regulación española del contrato de transporte terrestre establece, en la DA 6.ª citada, la responsabilidad del cargador frente al porteador efectivo, norma que no contradice los términos del convenio, sino que proporciona, al eslabón más débil de la cadena, una garantía adicional del cobro de los servicios subcontratados.

> [...] La norma nacional prevé dicha acción directa para todo porteador efectivo, sin excluir de su ámbito los transportes internacionales por carretera. Por lo tanto, en la medida que sea aplicable al contrato la norma española, el porteador efectivo por carretera disfruta de dicha acción contra el cargador. Si el contrato celebrado entre el porteador contractual y el porteador efectivo está sujeto a la norma española, en tanto que dicha responsabilidad no está excluida por el CMR, será aplicable a los contratos de transporte internacionales por carretera. Lo que permite al porteador efectivo reclamar al cargador el importe de los transportes efectuados[37].

36. ECLI:ES: APB: 2021:14495. Aranzadi Westlaw.
37. En estos términos también se posiciona la Sentencia de la Audiencia Provincial de Lleida en su sentencia de 26 de octubre de 2022, Fundamento de Derecho Tercero. ECLI:ES: APL: 2022:891. Cendoj.

Pero es que advertido lo anterior, debemos también indicar que lo mismo cabría proyectar sobre cualquier transporte internacional presente o futuro que no quede amparado por el extenso ámbito de aplicación del referido Convenio CMR de 1956. Puesto que dicho texto internacional concreta los contratos de transporte de mercancías por carretera internacionales que entran dentro de su ámbito de aplicación en base a un claro elemento de internacionalidad, cual es que el lugar de origen o carga de la mercancía y el lugar de descarga o destino de la mercancía se encuentren localizados (según conste en la carta de porte, contrato o documento de transporte) en dos países diferentes, uno de los cuales al menos sea un país contratante, independientemente del domicilio y nacionalidad de las partes del contrato.

Me explico, en algún momento se conseguirá que el legislador y la legisladora de la Unión reviertan la triple calificación de los servicios de transporte ejecutables en territorio europeo y supriman la anacrónica calificación de los ya comentados servicios de transporte de cabotaje, los cuales a día de hoy quedan regidos para los transportes de mercancías por carretera mediante una norma de conflicto de carácter imperativo regulada en el artículo 9 del Reglamento (CE) 1072/2009 en la que expresamente se indica que [...] la realización de los transportes de cabotaje estará sujeta a las disposiciones legales, reglamentarias y administrativas vigentes en los Estados miembros de acogida en relación con lo siguiente [...] las condiciones que rigen el contrato de transporte. Y por supuesto, quedarán sometidos a los órganos jurisdiccionales del Estado de acogida. Por lo tanto, si el Estado de acogida del servicio de transporte es Francia, la ley aplicable será la francesa y será de aplicación la acción directa configurada en el citado artículo L 132-8 del Código de Comercio francés.

Si se consiguiese la referida dilución de los citados transportes de cabotaje, dichos transportes serían internacionales, pero no según la localización del lugar de carga y descarga de la mercancía, sino más bien según otros criterios o elementos de heterogeneidad como son el lugar de ubicación de las partes contractuales, porteador o transportista, cargador, destinatario, intermediario y/o el lugar de ejecución del referido contrato internacional de transportar. Estos transportes, sin duda internacionales, no se regirán por el Convenio CMR, pero sí en la Unión para la determinación de la competencia judicial internacional por el RBI bis y para la concreción de la ley aplicable por el Reglamento Roma I, lo que nos puede llevar, en su caso, a la aplicación del derecho material de un Estado que tenga regulada o normativizada la acción directa, como los ordenamientos jurídicos español, francés o italiano.

Finalmente, para terminar, respecto a la acción directa configurada para el ordenamiento jurídico español y recogida en la LOTT, cabe recordar que únicamente, tal y como es lógico por otro lado, será activable por el porteador o transportista efectivo en aquellos casos en los que no se haya cobrado el porte o precio del transporte adeudado por quien le hubiera contratado. Si no fuera así, evidentemente no cabe su ejercicio o activación. Sin embargo, esto no obsta para que al igual que la acción francesa, ésta también pueda ejercitarse contra cualquiera de los sujetos que le hubieren precedido en la cadena de subcontratación al porteador efectivo, aunque hubieren abonado, o satisfecho, el pago del precio al porteador contractual de éste.

Bibliografía

Agoués Mendizabal, C., «La intervención administrativa en el transporte por carretera», *RDT*, núm. 7, 2011, pp. 51-92.

Agoués Mendizabal, C., «El marco europeo de la tasa por infraestructura en el transporte de mercancías», *Revista de Derecho del transporte: Terrestre, marítimo, aéreo y multimodal*, núm. 22, 2018, pp. 13-40.

Aguado I Cudolà, V., «Las potestades de inspección y sanción en materia de transporte: garantizar el cumplimiento de la legislación, asegurar el buen funcionamiento del sistema», en Menéndez, P. (Dir.), Régimen Jurídico del Transporte Terrestre: Carreteras y Ferrocarril, Tomo II, Cizur Menor, Aranzadi, 2014, pp. 237-287.

Álvarez Rubio, J. J., «Competencia judicial internacional en el transporte internacional. Especial referencia al transporte marítimo», en De Eizaguirre Bermejo, J. M., «El Derecho del transporte marítimo internacional», *I Jornadas sobre Transporte Marítimo Europeo, aspectos mercantiles y jurisdiccionales*, Donostia (20 y 21 de mayo de 1993), Escuela de Administración Marítima-Itsas Arduralaritzazko Eskola, p. 133.

Álvarez Rubio, J. J., *Los foros de competencia judicial internacional en materia marítima: estudio de las relaciones entre los diversos bloques normativos*, Gobierno Vasco = Eusko Jaurlaritza, Servicio Central de Publicaciones = Argitalpen Zerbitzu Nagusia, 1994.

Álvarez Rubio, J. J., *Las normas de derecho interregional de la ley 3/1992 de 1 de julio, de derecho civil foral del país vasco*, Oñati, Instituto Vasco de Administración Pública, 1995.

Álvarez Rubio, J. J., *Derecho Marítimo y Derecho Internacional Privado: algunos problemas básicos*, Servicio de publicaciones del Gobierno Vasco, 2000, pp. 53-55.

Álvarez Rubio, J. J., «La incidencia del Tratado de Ámsterdam en el sistema español de Derecho interregional», *Anales de la Facultad de Derecho,* 18, noviembre de 2001, pp. 65-78.

Álvarez Rubio, J. J., «La regla de especificidad como cauce para superar los conflictos normativos entre Derecho comunitario y los Convenios internacionales en materias especiales», *Diario La Ley,* n.º 7499, 2010, pp. 1-6.

Álvarez Rubio, J. J., «Las reglas de especificidad como cauce para superar los conflictos normativos entre Derecho comunitario y los Convenios internacionales en materias especiales», *La Ley,* 29 de octubre de 2010, pp. 1-6.

Álvarez Rubio, J. J., *Las Lecciones Jurídicas del Caso Prestige: Prevención, Gestión y Sanción frente a la contaminación marina por hidrocarburos,* Pamplona, Aranzadi, 2011, pp. 13-32.

Álvarez Rubio, J. J., «Derecho privado y la UE: ¿armonización material o conflictual?», en Goizueta Vértiz, J. y Cinfuegos Mateo, M. (Coord.), *La eficacia de los derechos fundamentales de la UE: cuestiones avanzadas,* Cizur Menor, Thomson Reuters Aranzadi, 2014, pp. 291-310.

Álvarez Rubio, J. J., «La vecindad civil como punto de conexión ante la creciente complejidad del sistema plurilegislativo español: Balance y perspectivas de futuro», *Derecho Privado y Constitución,* núm. 38, 2021, pp. 11-48.

Álvarez Rubio, J. J., «Implicaciones del Brexit para el transporte marítimo», *La Ley Unión Europea,* núm. 100, 2022, pp. 1-5.

Arias Varona, F. J. y Recalde Castells, A., «Medidas de urgencia en el ámbito del contrato de transporte de mercancías por carretera», *RDT, Revista de Derecho del Transporte,* núm. 29, 2022, pp. 13-34.

Arpio Santa Cruz, M., «El Parlamento frente al Consejo: la sentencia del Tribunal de Justicia en materia de transportes», *RIE,* núm. 12, 1985, pp. 789-804.

Basedow, J., «Zulassigkeit und Vertragsstatut der Kabotagentransporte. Zum Verhaltnis von Marktoffnung und Wirtschaftkollisionstrecht in der Europaischen Gemeinschaft», *ZHR,* vol. 156, 1992, pp. 413-442.

Belintxon Martín, U., «La confluencia de los distintos bloques normativos aplicables en materia de transporte internacional por carretera: divergencias y efecto distorsionador», en Petit Lavall, M. V., Martínez

Sanz, F. y Recalde Castells, A. (Dirs.), *La nueva ordenación del mercado de transporte,* Madrid, Marcial Pons, 2013, pp. 15-20.

Belintxon Martín, U., «Jurisdicción / arbitraje en el transporte de mercancías por carretera: ¿Comunitarización frente a internacionalización?», *Arbitraje: revista de arbitraje comercial y de inversiones,* vol. 7, núm. 3, 2014, pp. 707-743.

Belintxon Martín, U., «La efectiva liberalización del sector del transporte por carretera en la UE y el acceso a la profesión de transportistas: ¿licencia comunitaria única?», en Puetz, A. (Coord.) y Petit Lavall, M. V. (Dir.), *La eficiencia del transporte como objetivo de la actuación de los poderes públicos: liberalización y responsabilidad,* Madrid, Marcial Pons, 2015, pp. 241-255.

Belintxon Martín, U., «La calificación del transporte de cabotaje como transporte internacional en el Derecho del transporte por carretera: el elemento de internacionalidad», *RDT: Revista de Derecho del Transporte,* núm. 16, 2015. pp. 142-164.

Belintxon Martín, U., «Ley aplicable a los contratos internacionales en defecto de elección: la interpretación del artículo 4 del Convenio de Roma y su proyección sobre el Reglamento Roma I», *La Ley Unión Europea,* enero 2015, núm. 22, pp. 55-60.

Belintxon Martín, U., «Derecho Internacional Privado y transporte de viajeros por carretera: algunas cuestiones sobre jurisdicción y ley aplicable», *CDT,* vol. 8, marzo 2016, núm.1, pp. 17-35.

Belintxon Martín, U., «Dumping Social, desarmonización socio-laboral y Derecho internacional privado: la des-Unión Europea», *AEDIPr.,* t. XVI, 2016, pp. 611-642.

Belintxon Martín, U., «Derecho internacional privado y transporte aéreo: cuestiones de actualidad sobre jurisdicción y ley aplicable», en Petit Lavall, M.ª V. y Puetz, A. (Dirs.), *El transporte como motor del desarrollo socioeconómico,* Madrid, Marcial Pons, 2018, pp. 363-382.

Belintxon Martín, U., «La obligada adecuación de la LOTT y el ROTT al Derecho europeo en materia de acceso a la profesión de porteador/transportista», *La Ley Unión Europea,* 2018, núm. 58, pp. 1-19.

Belintxon Martín, U., *La necesaria adecuación de la legislación vasca del transporte a la dimensión transfronteriza,* Cizur Menor, Aranzadi-Thomson Reuters, 2018.

Belintxon Martín, U., «El dilema en el conflicto del Taxi y el VTC: ¿La desregulación?», *Bitácora Millennium DIPr: Derecho internacional privado*, núm. 9, 2019, pp. 1-13.

Belintxon Martín, U., «Prevención de riesgos laborales, transporte y derecho europeo: distorsiones de la realidad práctica», *La Ley Unión Europea*, núm. 73, 2019, pp. 1-19.

Belintxon Martín, U., «La política común de transportes de la UE: ¿la menos común de todas las políticas? Una primera reflexión sobre el Reglamento (UE) 2020/1055 de 15 de julio de 2020», *La Ley Unión Europea*, núm. 87, diciembre 2020, pp. 1-17.

Belintxon Martín, U., «Derecho internacional privado y Derecho marítimo internacional: competencia judicial internacional y acuerdos atributivos de jurisdicción en la LNM», *CDT*, vol. 12, núm. 2, 2020, pp. 112-135.

Belintxon Martín, U., «Derechos humanos y responsabilidad social corporativa en las empresas de transporte: Un apunte de Derecho europeo», *Cuadernos Europeos de Deusto*, núm. 63, 2020, pp. 269-294.

Belintxon Martín, U., «La inaplicación del Reglamento Roma I para la determinación de la ley aplicable a los contratos de transporte de cabotaje en la UE», *V Seminario AEPDIRI sobre Temas de actualidad de Derecho Internacional Privado. Nuevos escenarios del Derecho Internacional Privado de la Contratación*, Oviedo 24/09/2020 – 24/09/2020.

Belintxon Martín, U., «La incidencia del Covid-19 y su post-cronificación en el sector del transporte internacional», en Luquin Bergareche, R. (Dir.), *Covid-19: Confictos jurídicos actuales y otros desafíos*, Madrid, Bosch Wolters Kluwer, 2020, pp. 385-405.

Belintxon Martín, U., «La singularidad del desplazamiento transfronterizo de conductores en la Unión Europea, el salario mínimo y el Reglamento 593/2008», *La Ley Unión Europea*, 96, octubre 2021, pp. 1-25.

Belintxon Martín, U., «El comercio y tránsito de armas en la UE. Una reflexión desde el Derecho internacional», en Álvarez Rubio, J. J., Iriarte Ángel, J. L. y Belintxon Martín, U. (Dirs.), *Representación aduanera y comercio internacional en el siglo XXI*, Cizur Menor, Cívitas, 2022, pp. 167-193.

Belintxon Martín, U., «El "des-Prestige" de las instituciones y la ausencia de especialidad ¿males del siglo XXI?: reflexiones sobre el asunto Prestige y la compleja relación del arbitraje con el sistema europeo», *La Ley. Mediación y arbitraje*, núm. 17, 2023, pp. 1-30.

Belintxon Martín, U., «El presupuesto de validez de la cláusula arbitral en el CMR: extensión vs. límites: STSJ de Cataluña de 27 de mayo de 2022», *La Ley. Mediación y arbitraje*, núm. 14, 2023, pp. 2 y ss.

Bon Garcín, I., Bernadet, M. y Reinhard, Y., *Droit des transports*, París, Dalloz, 2010.

Bon-Garcin, I. y Letacq, F., «La jurisprudence française sur l'action directe en paiment dans transport routier de marchandises», *Transidit*, n.º 41, 2004, pp. 1-5.

Bon-Garcin, I. y Letacq, F., «Las garantías de pago al transportista por carretera en el Derecho francés: "Acción directa" y Derecho de retención», *Actualidad jurídica del transporte por carretera. In memoriam F.M. Sánchez Gamborino*, Madrid, Fundación Francisco Corell, 2005, pp. 322-323.

Borras Rodríguez, A., «La Comunitarización del Derecho Internacional Privado: pasado, presente y futuro», Cursos de Derecho Internacional de Vitoria Gasteiz (2001), Vitoria-Gasteiz, Servicio de Publicaciones de la Universidad del País Vasco, 2002, pp. 285-318.

Caballero Sánchez, R., «La liberalización del transporte terrestre: el largo camino hacia un mercado de servicios», en Menéndez, P. (Dir.), *Régimen Jurídico del Transporte Terrestre: Carreteras y Ferrocarril*, Tomo I, Cizur Menor, Aranzadi, 2014, pp. 397-488.

Calme, S., «Le recours du transporteur routier sous-traitant dont le commissionnaire est insolvable – Analyse comparée en droit allemand, autrichien, belge, français, luxembourgeois et suisse», *Revue d'Allemagne et des pays de langue allemande*, núm. 46-1, 2014, p. 258.

Calvo Caravaca, A. L., «El Derecho internacional privado de la Comunidad Europea», *Anales de Derecho*, Universidad de Murcia, núm. 21, 2003, pp. 49-69.

Calvo Caravaca, A. L. y Carrascosa González, J., «Contratos Internacionales II: Algunos contratos», *Derecho internacional privado*, 15.ª Edición, Editorial Comares, 2014, pp. 921-926.

Calvo Caravaca, A. L. y Carrascosa González, J., *Derecho Internacional Privado*, Vol. 2, 18.ª Edición, Granada, Comares, 2018.

Calvo Caravaca, A. L. y Carrascosa González, J., *Tratado de Derecho Internacional Privado*, Tomo I, 2.ª Edición, Valencia, Tirant Lo Blanch, 2022.

Carballo Piñeiro, L., «La gestión de los flujos migratorios y su impacto en las relaciones laborales», en Sobrino Heredia, J. M. y Oanta, G. A. (Coord.), *La construcción jurídica de un espacio marítimo común europeo*, 2020, pp. 55-79.

Carrascosa González, J., «La autonomía de la voluntad conflictual y la mano invisible en la contratación internacional», *La Ley*, núm. 7847, de 27 de abril de 2012.

Casado Abarquero, M., «Legislación aplicable a los trabajadores desplazados en el marco de una prestación de servicios en la Unión Europea», en Goñi Sein, J. L. e Iriarte Ángel, J. L. (Dirs.), *Prevención de riesgos laborales y protección social de trabajadores expatriados*, Cizur Menor, Thomson Reuters Aranzadi, 2019, pp. 339-369.

Casado Abarquero, M., *La autonomía de la voluntad en el contrato de trabajo internacional*, Cizur Menor, Thomson Aranzadi, 2008.

Cascales Moreno, F. J., «El Libro Blanco de transporte: La política europea de los transportes en el horizonte del año 2010: La hora de la elección», *Noticias de la Unión Europea*, núm. 213 (2002), pp. 69-70.

Castellanos Ruiz, E., *Autonomía de la voluntad y derecho uniforme en el transporte internacional*, Granada, Editorial Comares, 1999.

Clarke, M. A., *International carriage of goods by road: CMR*, 6.ª Edición, Londres, Informa Law from Routledge, 2014.

Clarke, M. A., *International carriage of goods by road: CMR*, Londres, Lloyd´s of London Press, 2009.

De Miguel Asensio, P. A., «La Ley aplicable en defecto de elección a los contratos internacionales: El artículo 4 del Convenio de Roma de 1980», *La Ley*, XVI, abril 1995, pp. 1-7.

De Miguel Asensio, P. A., «Integración Europea y Derecho Internacional Privado», *RDCE*, vol. 2, 1997, pp. 413-445.

De Miguel Asensio, P. «La evolución del Derecho internacional privado comunitario en el Tratado de Amsterdam», *REDI*, vol. L, núm. 1, 1998, pp. 373-376.

De Miguel Asensio, P. A., «Contratación internacional: La evolución del modelo de la Unión Europea», *Revista mexicana de Derecho internacional privado y comparado*, septiembre 2011, núm. 29, pp. 67-89.

De Miguel Asensio, P. A., «El lugar de ejecución de los contratos de prestación de servicios como criterio atributivo de competencia», en Forner Delaygua, J., González Beilfuss, C. y Viñas Farré, R. (Coords.), *Entre Bruselas y la Haya: Estudios sobre la unificación internacional y regional del Derecho internacional privado. Liber Amicorum Alegría Borrás,* Madrid, Marcial Pons, 2013, pp. 291-307.

Diago Diago, M. P., «La reagrupación familiar de descendientes, personas sujetas a representación legal y de la "pareja de hecho" en la enésima modificación de la Ley 4/20002», *Revista de derecho migratorio y extranjería,* núm. 26, 2011, pp. 11-26.

Djoric, A., *Le contrat de transport international terrestre des marchandises,* Belgrado, Institut za uporedno pavo, 2005.

Emparanza Sobejano, A., «El art. 2 CMR: ¿un modelo de regulación de transporte multimodal?», en Eizaguirre (dir.), *10 años de Derecho Marítimo Donostiarra,* Vitoria-Gasteiz, 2003, pp. 35 y ss.

Emparanza Sobejano, A., «La delimitación de la figura de porteador en el transporte», *El concepto de porteador en el transporte de mercancías,* Granada, Comares, 2003.

Emparanza Sobejano, A., «Obligación de pago del porte y consecuencias de su incumplimiento», *Revista de Derecho del transporte: Terrestre, marítimo, aéreo y multimodal,* núm. 6, 2010 (Ejemplar dedicado a: La Ley 15/2009, de 11 de noviembre, del contrato de transporte terrestre de mercancías [LCTTM]), pp. 215-232.

Emparanza Sobejano, A., «La acción directa del transportista efectivo por impago de portes contra los contratantes del servicio de transporte», en Morillas Jarillo, M.ª J., Perales Viscasillas, M.ª P., Porfirio Carpio, L. J. (Dir.), *Estudios sobre el futuro Código Mercantil: libro homenaje al profesor Rafael Illescas Ortiz,* Getafe, Universidad Carlos III de Madrid, 2015, pp. 1326-1349.

Emparanza Sobejano, A., «El transporte multimodal de contenedores y la dificultad de la determinación del régimen de la acción de reclamación de daños», *RDT. Revista de Derecho del Transporte,* núm. 28, 2021, pp. 13-32.

Espiniella Menéndez, A., *La Relación Laboral Internacional*, Valencia, Tirant lo Blanch, 2022.

Esplugues Mota, C., Palao Moreno, G. y Iglesias Buhigues, J. L., *Derecho Internacional Privado*, Valencia, Tirant lo Blanch, 16.ª edición, 2022.

Fernández Farreres, G. *Los transportes por carretera y competencia: Transportes y Competencia*, Madrid, Thomson-Cívitas, 2004.

Fernández Rozas, J. C., «El Espacio de libertad, seguridad y justicia consolidado por la Constitución Europea», *La Ley*, D-195, 2004, p. 16.

Fernández Rozas, J. C., «La comunitarización del Derecho internacional privado y Derecho aplicable a las obligaciones contractuales», *RES*, núm. 140, 2009, pp. 600 y ss.

Fernández Rozas, J. C., *Sistema de Derecho económico internacional*, Cizur Menor, Thomson Civitas, 2010.

Fernández Rozas, J. C. y Artuch Iriberri, E., «Validez y eficacia del convenio arbitral», *Tratado de Derecho arbitral: El convenio arbitral*, Bogotá, Editorial Ibañez, 2011, pp. 17-ss.

Fernández Rozas, J. C. y Sánchez Lorenzo, S., «Obligaciones», *Derecho internacional privado*, Cizur Menor, Civitas-Thomson Reuters, 7.ª Edición, 2013, pp. 543-549.

Fernández Rozas, J. C., «El 60 aniversario de los Tratados de Roma: algo más que una simple celebración», *La Ley: Unión Europea*, 46, 2017, pp. 1-8.

Fernández Rozas, J. C., «Alternativas e incertidumbres de las cláusulas de solución de controversias en la contratación marítima internacional», CDT, vol. 10, octubre 2018, núm. 2, pp. 333-375.

Fernández Rozas, J. C. y Sánchez Lorenzo, S., *Derecho Internacional Privado*, 11.ª edición, Cizur Menor, Thomson Reuters Civitas, 2020.

Garau Sobrino, F. F., «La literalidad interpretada desde la coherencia del sistema. Las relaciones entre Reglamento Bruselas I y los convenios sobre materias particulares según el TJUE», *CDT*, vol. 3, 2011, núm.1, pp. 270-281.

Garcimartín Alférez, F. J., «El Reglamento "Roma I" sobre ley aplicable a las obligaciones contractuales: ¿Cuánto ha cambiado el Convenio de Roma de 1980?», *La Ley*, 30 de mayo de 2008, núm. 6957.

Garcimartín Alférez, F. J., *Derecho Internacional Privado*, Cizur Menor, Thomson Reuters Civitas, 6.ª Edición, 2021, pp. 31 y ss.

Giullano, M. y Lagarde, P., «Informe sobre la ley aplicable a las obligaciones contractuales», *DOCE*, diciembre 1992, núm. 327, pp. 14-21.

Gómez Puente, M., «La ordenación histórica del transporte por carretera», Menéndez, P. (Dir.), *Régimen Jurídico del Transporte Terrestre: Carreteras y Ferrocarril*, Tomo I, Cizur Menor, Aranzadi, 2014, pp. 167-189.

Gondra Romero, J. M., «Integración económica e integración jurídica en el marco de la Comunidad Económica Europea», en García De Enterría, E., González Campos J. D. y Muñoz Machado S. (Dirs.), *Tratado de Derecho comunitario europeo*, vol. I, Madrid, Civitas, 1986, pp. 275-312.

González Alonso, L., «La política de transportes en la Comunidad Económica Europea», *DA*, núm. 185, 1990, pp. 703-720.

González Campos, J. D., «Sobre el convenio de arbitraje en el Derecho internacional privado español», *Anuario de Derecho Internacional (Universidad de Navarra)*, vol. II, 1975, pp. 3-42.

González Campos, J. D., «Diversification, Specialisation, Flexibilisation et Materialisation de régles de Droit International Privé», *R.des C*, t. 287, 2002, pp. 156 y ss.

González García, J., «Notas sobre la intervención administrativa sobre el comercio de servicios a partir de la Directiva Bolkestein», en González García, J. (Dir.), *Derecho de la regulación económica*, Madrid, Iustel, 2009, pp. 569-596.

Górriz Lopez, C., *La responsabilidad en el contrato de transporte de mercancías (carretera, ferrocarril, marítimo, aéreo y multimodal)*, Bolonia, Publicaciones del Real Colegio de España, 2001.

Gutiérrez Sanz, M.ª R., «La acción directa del porteador de hecho frente al cargador en el transporte terrestre nacional: aspectos procesales», *Revista de Derecho del transporte: Terrestre, marítimo, aéreo y multimodal*, núm. 24, 2019, p. 65.

Guzmán Gómez, M. A., «La aplicación en España de la política común de transportes», *DA*, núm. 201, 1984, pp. 675-706.

Guzmán Zapater, M., «El reglamento CE n.º 593/2008, del Parlamento Europeo y del Consejo, sobre ley aplicable a las obligaciones contractuales: régimen general, contratos de consumo y contrato individual de trabajo», *Aranzadi civil*, 2009, núm. 2, pp. 2257-2286.

HERNÁNDEZ RODRÍGUEZ, A., «El contrato de transporte aéreo de pasajeros: algunas cuestiones sobre competencia judicial internacional y derecho aplicable», *CDT*, vol. 3, marzo 2011, núm. 1, pp. 179-194.

HUERGO LORA, A. J., «La Política europea de transportes terrestres», MENÉNDEZ GARCÍA, P. (Dir.), *Régimen Jurídico del Transporte Terrestre: Carreteras y Ferrocarril*, Tomo I, Cizur Menor, Aranzadi, 2014, pp. 381-393.

IRIARTE ÁNGEL, J. L., «Transporte marítimo internacional de mercancías y terceros Estados», *RGLJ*, núm. 1, 1989, pp. 7-28.

IRIARTE ÁNGEL, J. L., *El contrato de embarque internacional*, Madrid, Beramar S. L., 1993.

IRIARTE ÁNGEL, J. L., «La armonización de Derecho internacional privado por la Unión Europea», *Jado: boletín de la Academia Vasca del Derecho*, núm. 9, 2006. pp. 47-73.

IRIARTE ÁNGEL, J. L., «Propiedad y Derecho internacional», *Los conflictos internos en el sistema español*, Fundación registral (Colegio de registradores de la propiedad y mercantiles de España), 2007, pp. 133-163.

IRIARTE ÁNGEL, J. L., «La precisión del lugar habitual de trabajo como foro de competencia y punto de conexión en los Reglamentos europeos», *CDT*, vol. 10, núm. 2, octubre de 2018, pp. 488-495.

IRIARTE ÁNGEL, J. L., «Capítulo XV. Ley aplicable a los contratos internacionales de trabajo: Reflexiones sobre la jurisprudencia del Tribunal Supremo», en CALVO CARAVACA, A. L. y CARRASCOSA GONZÁLEZ, J. (Coord.), *El Tribunal Supremo y el derecho internacional privado*, Vol. 1, Tomo 1, Murcia, Rapid Centro Color, 2019, pp. 335-361.

IRIARTE ÁNGEL, J. L., «Conflictos internacionales e interregionales de leyes. La norma del conflicto», *Iura vasconiae: revista de derecho histórico y autonómico de Vasconia*, núm. 17, 2020 (Ejemplar dedicado a: XVII Simposio de Derecho Histórico de Vasconia: la reforma del Fuero Nuevo de Navarra), pp. 495-524.

IRIARTE ÁNGEL, J. L., CALDERÓN MARENCO, E. A., TORRES BUELVAS, J. E., GONZÁLEZ RIVERA, T. V. y BELINTXON MARTÍN, U., «Contratación y documentación electrónica en el transporte internacional: especial mención a la Carta de Porte. Un análisis desde el Derecho Internacional privado», *Cuadernos europeos de Deusto*, n.º 66, 2022, pp. 163-197.

Iriarte Ángel, J. L. y Casado Abarquero, M., «Incidencia del COVID-19 sobre los contratos internacionales y fuerza mayor», en Luquin Bergareche, R. (Dir.), *Covid 19: conflictos jurídicos actuales y desafíos*, Madrid, Wolters Kluwer, 2020, pp. 347-362.

Izquierdo Llaner, M. J. y Fernández Sánchez, G., «Regulación y competencia en el sector del transporte en España», en Fernández Farreres, G. (Coord.), *Transportes y competencia. Los procesos de liberalización de los transportes aéreo, marítimo y terrestre y la aplicación del derecho de la competencia*, Madrid, Civitas, 2004, pp. 537-582.

Josserand, L., *Les Transportes en service intérieur et en service international*, 2.ª ed., París, Rousseau, 1926.

Kaufmann-Kohler, G., *La clause d'élection de for dans les contrats internationaux*, Frankfurt, 1980.

Laguna De Paz, J. C., «Las autorizaciones administrativas en el transporte terrestre», en Menéndez, P. (Dir.), *Régimen Jurídico del Transporte Terrestre: Carreteras y Ferrocarril*, Tomo I, Cizur Menor, Aranzadi, 2014, pp. 591-634.

Lara González, R., *El depósito de cuentas anuales. Causas controvertidas de calificación registral*, Cizur Menor, Thomson Reuters Aranzadi, 2019.

Lasa Belloso, B., «Competencia judicial internacional y regulación del arbitraje en el convenio CMR», *Anuario Español de Derecho Internacional Privado*, t. IV, 2004, pp. 287-308.

Legros, C., «Contrat de transport international par route de marchandises et de voyageurs», *Juris régles.Clas.dr.int*, fasc. 571-66, 25 abril 2012, pp. 13 y ss.

Llorente Gómez De Segura, C., «La ley aplicable al contrato de transporte internacional según el Reglamento Roma I», *CDT*, vol. 1, núm. 2, 2009, pp. 162-166.

Llorente Gómez de Segura, C., «Contratos internacionales. El contrato de transporte. Introducción. Cuestiones generales de Derecho internacional privado», *Derecho del Comercio Internacional*, Madrid, Colex, 2012, pp. 913-915.

MARCHAL ESCALONA, N., «El desplazamiento de trabajadores en el marco de una prestación transnacional de servicios: hacia un marco normativo europeo más seguro, justo y especializado», *Revista de Derecho Comunitario Europeo*, Año núm. 23, núm. 62, 2019, pp. 81-116.

MARCHAL ESCALONA, N., «La autonomía de la voluntad conflictual y sus límites en los contratos laborales en el sector del transporte por carretera», *Bitácora Millennium DIPr: Derecho Internacional Privado*, núm. 14, 2021, pp. 50-67.

MESSENT, A. y GLASS, D. A., *CMR: Contracts for the international carriage of goods by road*, Londres, Lloyd´s of London Press, 1995.

MESSENT, A. y GLASS, D. A., *CMR: Contracts for the international carriage of goods by road*, 4.ª Edición, Londres, Informa Law from Routledge, 2018.

MILIONE FUGALI, C., «La interpretación del art. 47 CDFUE como expresión de la labor hermenéutica del Tribunal de Luxemburgo en la construcción de un estándar europeo de protección de los derechos», *Teoría y realidad constitucional*, núm. 39 (Ejemplar dedicado a: Monográfico: El TJUE como actor de constitucionalidad), 2017, pp. 655-674.

MOYA IZQUIERDO, S., GARCÍA FERNÁNDEZ, C. y TRONCOSO FERRER, M., «El posible impacto del Brexit en los contratos internacionales de ámbito europeo», *Revista Aranzadi Unión Europea*, 2016, núm. 12.

MUNARI, F., *Il Diritto Comunitario dei Trasportti*, Milán, Guiffrè, 1996, pp. 50-117.

ORDOÑEZ SOLÍS, D., «La liberalización y el servicio público del transporte por carretera en la Unión Europea», *Noticias de la Unión Europea*, núm. 216, 2003, pp. 75-92.

ORTIZ VIDAL, M.ª D, *Ley aplicable a los contratos internacionales y eficiencia conflictual*, Granada, Comares, 2014.

PALAO MORENO, G., «La competencia judicial internacional en materia de contratos individuales de trabajo en el Convenio de Lugano», *Revista de Trabajo y Seguridad Social*, núm. 439, 2019, pp. 115-140.

PESCE, A, *Il contratto di trasporto internazionale di merci su strada*, Pádua, Cedam, 1984.

PICHARS, M., «L 'évolution de la norme dans les transports», en PERU-PIROTTE, L., DUPONT-LEGRAND, B. Y LANDSWEERDT, C. (Dirs.), *Le Droit du transport dans tous ses états: réalités, enjeux et perspectives nationales, internationals et européennes*, Bruselas, Larcier, 2012, pp. 17-48.

Piñales Leal, F. J., *Régimen Jurídico del transporte por carretera*, Madrid, Marcial Pons, 1993.

Piñoleta Alonso, L. M., «El arbitraje en el transporte internacional de mercancías por carretera», *RCEA*, 1999, pp. 104-112.

Piñoleta Alonso, L. M., «Arbitraje de Transportes y Convención CMR», en Martínez Sanz, F. (Coord.), *Problemas en la aplicación del CMR. Especial referencia a la responsabilidad*, Madrid, Fundación Francisco Corell en colaboración con el Ministerio de Fomento, 2002, pp. 110-111.

Piñoleta Alonso, L. M., «El contrato de transporte terrestre de personas: Fundamentos de su régimen jurídico, elementos y contenido», en Menéndez, P. (dir.), *Régimen Jurídico del Transporte Terrestre: Carreteras y Ferrocarril*, Tomo II, Cizur Menor, Aranzadi, p. 856.

Putzeys, J., *Le contrat de transport routier de marchandises*, Bruselas, Bruylant, 1981.

Puetz, A., «Transporte internacional de mercancías por carretera y sumisión a arbitraje: problemas en la aplicación del art. 33 CMR», *Arbitraje. Revista de arbitraje comercial y de inversiones*, 2011, vol. 4, núm. 3, pp. 869-884.

Quinzá Redondo, P., «De Sahyouni II (C-372/16) hacia el futuro con parada en Senatsverwaltung (C-646/20): El largo proceso de asimilación de los divorcios no judiciales en la Unión Europea», *Bitácora Millennium DIPr: Derecho Internacional Privado*, núm. 17, 2023, pp. 45-73.

Robaczewski, C., *Le risque pénal en Droit du transsport; L´application du droit pénal du travail dans l´entreprise de transport*, Bruselas, Larcier, 2012.

Rodríguez Benot, A., Campuzano Díaz, B., Rodríguez Vázquez, M.ª A. y Ybarra Bores, A., *Manual de Derecho Internacional Privado*, 8.ª Edición, Madrid, Tecnos, 2021.

Sánchez Gamborino, F., «Arbitration in Spain for Goods Transport: Juntas Arbitrales de Transporte», *Liber Amicorum Jacques Putzeys: Études de Droit des transports*, Bruselas, Bruylant, 1996, pp. 117-130.

Sánchez Gamborino, F. J., *El contrato de transporte internacional: CMR*, Madrid, Tecnos, 1996.

Sánchez Marcos, A., «El tacógrafo digital: sistema de seguridad y control de vehículos para transporte de viajeros y mercancías», *Actualidad Jurídica del transporte por carretera*, Madrid, Fundación Francisco Corell, 2005, pp. 105-109.

Solernou Sanz, S., *La ordenación jurídica del mercado de transporte de mercancías por carretera*, Cizur Menor, Aranzadi, 2018.

Tetley, W., *International Conflict of Laws: common, civil and maritime: the rome convention 1980*, Blais, 1994.

Trujillo Pons, F., «La regulación del tiempo de trabajo en el transporte por carretera en la normativa comunitaria y su trasposición al ordenamiento jurídico español», en Petit Lavall, M.ª V., Martínez Sanz, F. y Recaldes Castells, A. (Dirs.), *La nueva ordenación del mercando de transporte*, Madrid, Marcial Pons, 2013, pp. 67-84.

Valcárcel Fernández, P., «Transporte terrestre de mercancías y viajeros por carretera», *Derecho de la Regulación Económica: VI. Transportes*, 1.ª edición, Madrid, Iustel, 2009, pp. 81-ss.

Vaquero López, M. C., «Mecanismos de Derecho Internacional Privado Europeo para la protección de los trabajadores en supuestos de deslocalización de empresas», *Anuario Español de Derecho Internacional Privado*, núm. 17, 2017, pp. 425-471.

Virgós Soriano, M. y Garcimartín Alférez, F. J., *Derecho procesal civil internacional: Litigación internacional*, 2.º Edición, Cizur Menor, Aranzadi, 2007.

Guía de uso

¡ENHORABUENA!

ACABAS DE ADQUIRIR UNA OBRA QUE **INCLUYE LA VERSIÓN ELECTRÓNICA.**
APROVÉCHATE DE TODAS LAS FUNCIONALIDADES.

ACCESO INTERACTIVO A LOS MEJORES LIBROS JURÍDICOS

FUNCIONALIDADES

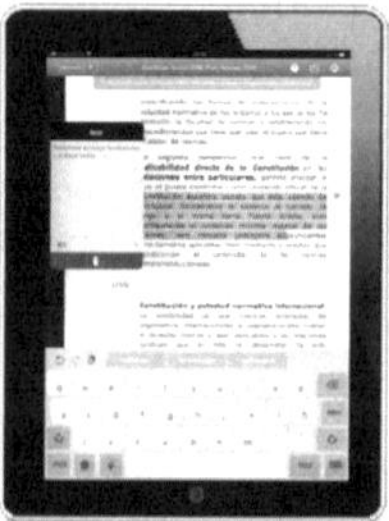

SELECCIONA Y DESTACA TEXTOS

Crea anotaciones y escoge los colores para organizar tus notas y subrayados.

USA EL TESAURO PARA ENCONTRAR INFORMACIÓN

Al comenzar a escribir un término, aparecerán las distintas coincidencias del índice del Tesauro relacionadas con el término buscado.

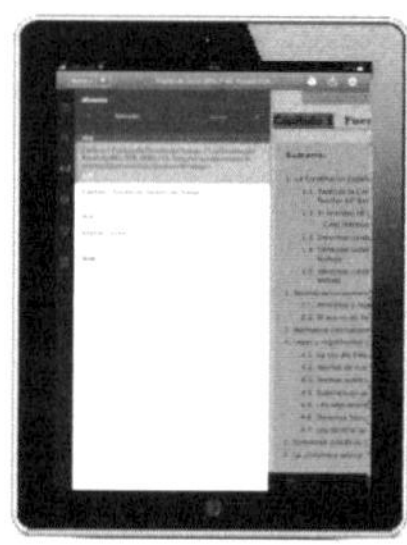

HISTÓRICO DE NAVEGACIÓN

Vuelve a las páginas por las que ya has navegado.

ORDENAR

Ordena tu biblioteca por:
Título (orden alfabético),
tipo (libros y revistas), editorial,
jurisdicción o área del Derecho.

CONFIGURACIÓN Y PREFERENCIAS

Escoge la apariencia de tus libros y revistas cambiando la fuente del texto, el tamaño de los caracteres, el espaciado entre líneas o la relación de colores.

MARCADORES DE PÁGINA

Crea un marcador de página en el libro tocando en el icono de Marcador de página situado en el extremo superior derecho de la página.

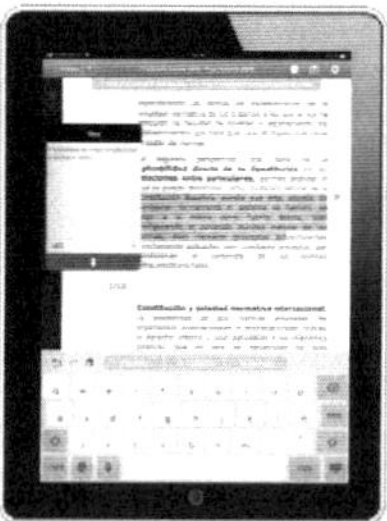

BÚSQUEDA EN LA BIBLIOTECA

Busca en todos tus libros y obtén resultados con los libros y revistas donde los términos fueron encontrados y las veces que aparecen en cada obra.

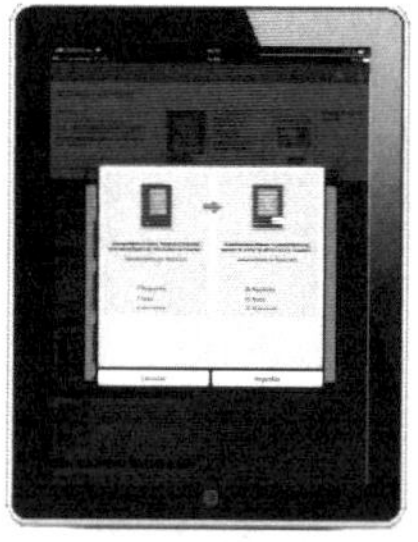

IMPORTACIÓN DE ANOTACIONES A UNA NUEVA EDICIÓN

Transfiere todas sus anotaciones y marcadores de manera automática a través de esta funcionalidad.

SUMARIO NAVEGABLE

Sumario con accesos directos al contenido.

INFORMACIÓN IMPORTANTE: Si has recibido previamente un correo electrónico deberás seguir los pasos que en él se detallan.

Estimado/a cliente/a,

Para acceder a la versión electrónica de este libro, por favor, accede a **http://onepass.aranzadi.es** Tras acceder a la página citada, introduce tu dirección de correo electrónico (*) y el código que encontrarás en el interior de la cubierta del libro.

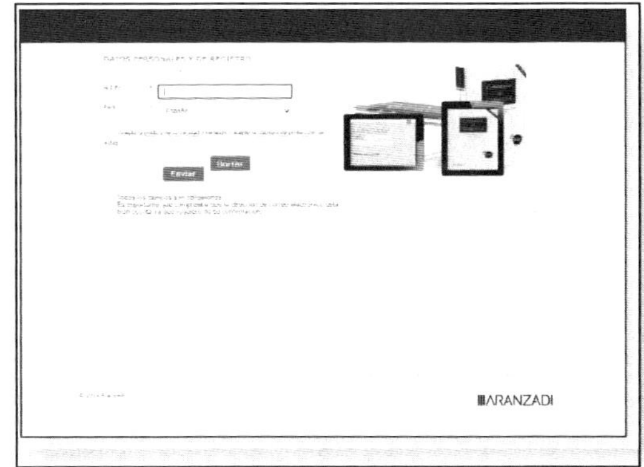

A continuación pulsa enviar.

Si te has registrado anteriormente en OnePass, en la siguiente pantalla se te pedirá que introduzcas el NIF asociado al correo electrónico.

Finalmente, te aparecerá un mensaje de confirmación y recibirás un correo electrónico confirmando la disponibilidad de la obra en tu biblioteca.

Si es la primera vez que te registras en **OnePass,** deberás cumplimentar los datos para crear tu cuenta y poder acceder a tu libro electrónico.

- Los campos **"Nombre de usuario"** y **"Contraseña"** son los datos que utilizarás para acceder a las obras que tienes disponibles a través del navegador en la ruta www.proview.thomsonreuters.com

Servicio de Atención al Cliente

Ante cualquier incidencia en el proceso de registro de la obra no dudes en ponerte en contacto con nuestro Servicio de Atención al Cliente. Para ello accede a nuestro Portal Corporativo y una vez allí en el apartado del Centro de Atención al Cliente selecciona la opción de Acceso a Soporte para no Suscriptores (compra de Publicaciones).